***Chère lectrice,***

Alors que les fêtes de fin d'année approchent à grands pas, laissez-vous emporter par la magie si particulière de ce beau mois de décembre, où tout semble devenir possible. Dans un Saint-Pétersbourg enneigé, Breanna va trouver ce qu'elle n'osait plus espérer : l'amour de l'homme auquel elle a offert son cœur dix ans plus tôt (*L'amant de Saint-Pétersbourg*, de Jennie Lucas, Azur n° 3544). Et c'est dans un château familial de la campagne écossaise, au parc scintillant de glace et de givre, que nous emporte Melanie Milburne pour le dernier tome de sa saga Irrésistibles Héritiers (*Une amoureuse indomptable*, Azur n° 3543).

Au côté des impétueuses héroïnes de ce mois de décembre, vivez des moments précieux, uniques et bouleversants…

Je vous souhaite un excellent Noël, et de très belles lectures.

***La responsable de collection***

# La maîtresse de Cruz Rodriguez

MICHELLE CONDER

# La maîtresse de Cruz Rodriguez

*Collection :* Azur

*Cet ouvrage a été publié en langue anglaise*
*sous le titre :*
THE MOST EXPENSIVE LIE OF ALL

*Traduction française de*
EMMANUELLE DETAVERNIER



HARLEQUIN
83-85, boulevard Vincent-Auriol, 75646 PARIS CEDEX 13.
Service Lectrices — Tél. : 01 45 82 47 47

www.harlequin.fr

ISBN 978-2-2803-0784-0 — ISSN 0993-4448

# 1.

— Huit-trois. A moi de servir.

Cruz Rodriguez Sanchez ramassa sa raquette de squash avant de se tourner vers son frère.

— Pas du tout, la balle n'était pas bonne. Et je te signale que c'est huit-trois, en ma faveur, précisa-t-il en plissant les yeux.

— C'est n'importe quoi ! Je remporte ce point, conclut Ricardo avec insolence.

Irrité, Cruz observa son frère comme celui-ci s'apprêtait à servir.

— Les tricheurs finissent toujours par recevoir ce qu'ils méritent, dit-il en se déplaçant légèrement.

— Tu ne peux pas gagner à tous les coups, mon pote.

Ricardo avait raison. Il avait déjà perdu, mais c'était il y a si longtemps…

Secouant la tête, Cruz se força à se concentrer sur le match. Comme il l'avait prévu, Ricardo envoya la balle pile à l'endroit où il se trouvait. Cruz la renvoya hors d'atteinte de son frère qui tenta pourtant de la récupérer.

— Nom d'un chien !

— Quel langage ! Ça fait donc neuf-trois. A moi de servir.

— Arrête de faire le malin ! commenta Ricardo en s'essuyant le visage avec une serviette.

— Tu peux toujours déclarer forfait.

— Tu parles trop.

— Je disais ça pour toi, reprit Cruz avec un sourire. Tu es prêt, cette fois ?

Sans lui laisser le temps de répondre, il frappa la balle de toutes ses forces. Ricardo plongea et parvint à la renvoyer en direction de son visage. Amusé, Cruz se contenta de lever sa raquette pour bloquer le projectile et l'expédier vers le mur.

— Ce n'est pas juste, marmonna Ricardo. Le squash n'est même pas ton sport de prédilection.

— C'est vrai.

Ç'avait toujours été le polo, mais ça, c'était avant…

Cruz prit deux bouteilles d'eau dans son sac de sport et en lança une à son frère.

— J'espère que tu sais que je t'ai laissé gagner, déclara Ricardo entre deux gorgées. Tu es tellement mauvais perdant !

Son frère n'avait pas tout à fait tort. La défaite lui était insupportable, comme à la majorité des athlètes professionnels. Il ne jouait peut-être plus au polo depuis huit ans, mais son esprit de compétition était toujours intact. Ricardo n'avait pas la moindre chance de le battre, et surtout pas aujourd'hui. Il était de bien trop bonne humeur pour cela. Comment aurait-il pu en être autrement ? A l'heure qu'il était, son avocate avait dû régler le problème. Elle avait d'ailleurs sans doute cherché à le joindre.

Il récupéra son portable dans son sac, mais s'immobilisa soudain. Il n'y avait aucun message. Ce n'était pas normal.

— Qu'est-ce qui se passe ? demanda Ricardo. Tu n'as pas arrêté de vérifier ton téléphone depuis notre arrivée. Une femme ose te résister ?

— Dans tes rêves ! murmura Cruz. Ça n'a rien à voir. C'est pour le boulot.

— Ne t'inquiète pas, tu finiras par rencontrer ton âme sœur.

— Contrairement à toi, je ne cherche pas à me caser.

— Ce qui veut dire que tu trouveras la perle rare avant moi…, se lamenta Ricardo.

Cruz éclata de rire.

— Ne te fais pas trop d'illusions. Tu risques d'être déçu.

Tournant le dos à son frère, il observa la balle qui roulait sur le sol.

Ricardo n'avait pas tout à fait tort. Il y avait bien une femme… mais il ne l'avait pas vue depuis des années. Et c'était très bien ainsi. Non, vraiment, il n'avait aucune envie de s'appesantir sur le passé. Ça ne servait à rien et, surtout, c'était bien trop douloureux.

Il valait mieux se concentrer sur l'instant présent et sur son travail. Après tout, c'était sa détermination à toute épreuve qui lui avait permis de devenir l'homme qu'il était aujourd'hui. Beaucoup avaient été surpris de le voir renoncer au polo pour se lancer dans le monde de la finance. Ils avaient même été jusqu'à lui donner un surnom : le barbare téméraire. Ils s'attendaient tous à ce qu'il échoue, aussi s'était-il fait une joie de leur prouver le contraire.

Ça n'avait pas été facile. Il avait dû se battre et travailler d'arrache-pied pour faire oublier son manque d'éducation et ses origines latines. Et il y était arrivé. Son acharnement et son instinct infaillible, acquis durant sa carrière comme joueur de polo, avaient fait le reste. Il avait obtenu tout ce qu'il désirait. Enfin, presque…

Ne manquait qu'un message de son avocate l'avisant

qu'il était l'heureux propriétaire de l'un des plus beaux haras des Hamptons : Ocean Haven Farm.

Perdu dans ses pensées, il s'essuya le visage avec son T-shirt.

— Jolis abdos, commenta une voix féminine.

Enfin ! Lauren Burnside, chargée des dossiers sensibles, se tenait de l'autre côté de la vitre de séparation.

— J'ai toujours pensé que vos costumes cachaient un corps superbe, *señor* Rodriguez. Je vois que je ne me suis pas trompée, ajouta-t-elle avec un regard admiratif.

— Lauren…

Nullement gênée, elle l'observait avec un intérêt non dissimulé.

Lauren était à la fois élégante et sexy. Ils avaient failli coucher ensemble un an plus tôt, mais n'étaient pas allés jusqu'au bout. Pourquoi ? Il n'en avait aucune idée…

— Vous n'étiez pas obligée de venir jusqu'ici, reprit-il. Un coup de fil aurait suffi.

— Pas cette fois, nous avons un problème, répliqua-t-elle d'un ton sérieux. Comme j'étais déjà en Californie, j'ai sauté dans un avion pour Acapulco. Je me suis dit que ça nous donnerait l'occasion de discuter en tête à tête, conclut-elle avec un sourire.

Cruz fronça les sourcils. Il avait toujours eu du succès avec les femmes. Son physique avantageux, sa fortune, mais surtout son refus de s'engager les attiraient et les fascinaient tout à la fois. L'une de ses anciennes conquêtes lui avait confié que cela le rendait irrésistible. Aussi avait-il pris l'habitude de se montrer prudent. D'après son expérience, les femmes cherchaient toujours à obtenir davantage. Une raison de plus de ne pas se laisser charmer par Lauren Burnside. Qui sait ce qu'elle attendait de lui ?

— Je m'attendais à mieux de votre part, mademoiselle Burnside. Cette affaire aurait déjà dû être réglée depuis deux heures, ajouta-t-il d'un ton brusque.

« Reste calme ! » s'ordonna-t-il. Ce n'était pas le moment de perdre son sang-froid.

— Je vous rejoins, annonça l'avocate en baissant les yeux.

Visiblement, elle était assez intelligente pour comprendre qu'il était inutile de lui faire du charme.

— C'est elle qui te mène la vie dure ? demanda Ricardo.

— Non.

— Elle en a envie, crois-moi.

Silencieux, Cruz croisa les bras comme Lauren poussait la porte du court.

— Eh bien, messieurs, on dirait que vous savez vous amuser, murmura-t-elle avec un sourire provocateur.

Cruz se retint de soupirer. Peut-être qu'elle n'était pas aussi subtile que ça, après tout.

— Quel est le problème ? s'enquit-il avec froideur.

— Il vaudrait peut-être mieux qu'on en discute en privé…

— Ricardo est mon frère. C'est également le vice-président du Rodriguez Polo Club. Alors, dites-moi : quel est le problème ?

— Le problème, répondit-elle d'un ton égal, s'appelle Aspen Carmichael. C'est la petite-fille de l'ancien propriétaire.

A ces mots, Cruz serra les poings. *Aspen…* Il ne l'avait pas vue depuis des années, mais n'avait jamais cessé de penser à elle. Comment aurait-il pu oublier la femme qui avait brisé son existence ? Elle avait alors dix-sept ans et n'avait pas hésité à le séduire pour le piéger. Il avait été contraint de partir pour commencer une nouvelle vie. Elle avait bouleversé ses plans une fois, il était hors de question de la laisser recommencer…

— Et ?

— Elle veut garder Ocean Haven. Son oncle a accepté de lui vendre le haras à moindre prix. L'information vient de me parvenir, expliqua-t-elle. Si elle réunit la somme dans les cinq jours, le domaine lui appartiendra.

— Combien demande-t-il ?

Cruz ne put s'empêcher de jurer quand Lauren lui indiqua le montant. C'était la moitié de ce qu'il avait lui-même offert pour le ranch.

— Joe Carmichael n'est pas stupide. Pourquoi a-t-il accepté ?

Lauren haussa les épaules.

— Il s'agit de sa nièce, répondit Lauren. Pour certains, la famille passe avant tout.

Peut-être. Pourtant, d'après son expérience, les liens du sang n'avaient pas beaucoup de valeur lorsqu'il y avait de l'argent en jeu…

Il avait treize ans lorsque sa mère avait décidé de l'envoyer à Ocean Haven. « Pour son bien », avait-elle dit, mais il n'était pas dupe. Elle avait besoin d'argent pour nourrir ses enfants, et Charles Carmichael avait besoin de personnel. Durant onze ans, il avait vécu au ranch, travaillant comme garçon d'écurie avant de devenir le manager et le capitaine de l'équipe de polo de Carmichael.

A dix-sept ans, il était le plus jeune joueur de l'histoire à avoir obtenu un handicap de dix, et à vingt ans il faisait partie des meilleurs. Il avait travaillé dur pour en arriver là et pour entretenir sa famille, mais il avait réussi.

Son univers s'était pourtant écroulé deux ans plus tard, et tout cela à cause d'Aspen Carmichael.

Elle était venue vivre au ranch à la mort de sa mère. Ils s'étaient à peine croisés à l'époque. Il partait chaque été s'entraîner en Angleterre, et Aspen passait le reste de l'année en pension. Pourtant une année, une blessure l'avait contraint à rester à Ocean Haven avec Aspen. La jeune fille gauche s'était transformée en une magnifique créature. Il était instantanément tombé sous son charme… mais n'avait jamais cherché à lui plaire. Aspen était la petite-fille du propriétaire. Elle était trop riche, trop belle et surtout… trop bien pour lui.

Il serra les poings en songeant à ce qui s'était passé ensuite.

— Ça va ? demanda Ricardo.

Cruz se tourna vers lui sans le voir. Il se considérait comme un homme juste, capable de pardonner et d'oublier. Aussi avait-il choisi de s'éloigner d'Ocean Haven et de Charles Carmichael. Non pas que le vieil homme lui ait donné le choix. Au contraire…

Durant huit ans, il s'était efforcé de tirer un trait sur le passé. Vraiment, sa décision d'acheter le domaine et de le raser pour y construire un hôtel n'avait rien à voir avec un quelconque désir de vengeance. Mais c'était une opportunité unique qui ne se refusait pas.

Ricardo verrait sans doute les choses différemment, mais ça n'avait pas d'importance. Il n'avait aucune envie ni aucune intention de s'expliquer. Ricardo était encore très jeune quand il avait quitté Mexico. Il n'avait pas compris pourquoi son grand frère les abandonnait. Malgré tout, ils étaient restés proches… jusqu'à un certain point.

— Oui, répondit-il d'une voix calme.

S'adressant à Lauren, il ajouta :

— Je ne m'inquiéterais pas pour Aspen Carmichael. La crise financière a pratiquement laissé Carmichael sur la paille. Il n'y a aucune chance que sa petite-fille dispose d'autant d'argent.

— Vous avez raison, déclara Lauren. Elle a dû se résoudre à emprunter.

Cruz fronça les sourcils. Aspen pensait-elle que le haras d'Ocean Haven serait suffisant pour financer le rachat du domaine ?

— Elle ne réunira jamais la somme.

— D'après mes sources, elle est à deux doigts d'y arriver.

— C'est-à-dire ?

— Elle a déjà les deux tiers.

— Donc il lui manque encore vingt millions, dit-il avec un air de triomphe. Qui serait assez stupide pour lui prêter autant dans ce contexte économique ? Et, plus important, qui s'est porté garant ?

Il devait savoir ! Il était tout simplement hors de question de la laisser gagner…

Surprise par sa réaction, Lauren resta un instant silencieuse avant de reprendre.

— Vous voulez que j'essaye de négocier avec elle ?

— Non !

Fermant les yeux, il s'efforça de réfléchir à la situation. Aussitôt, l'image d'Aspen souriant, ses longs cheveux blonds nimbés par l'éclat du soleil, s'imposa à son esprit. « Ressaisis-toi ! » s'ordonna-t-il. Ce n'était pas le moment de se laisser distraire.

— Concentrez-vous sur Joe Carmichael et essayez de découvrir si on lui a fait d'autres offres, ordonna-t-il à son avocate. Je me chargerai d'Aspen Carmichael.

— Comme vous voudrez.

— Je veux savoir à qui elle emprunte cet argent et ce qu'elle a donné comme garantie. Retrouvez-moi à Acapulco dans une heure, conclut-il.

Ricardo attendit que Lauren soit partie avant de parler.

— Tu ne m'avais pas dit que tu achetais le domaine des Carmichael.

— Pourquoi l'aurais-je fait ? C'est un dossier comme les autres.

Ricardo haussa les sourcils.

— Et la jolie Aspen Carmichael est également un dossier comme les autres ?

— Ça ne te regarde pas, affirma-t-il pour clore la discussion.

Malheureusement, son frère semblait décidé à découvrir le fin mot dc l'histoire.

— Peut-être pas, non. Je me souviens pourtant que tu avais juré de ne plus jamais mettre un pied à Ocean Haven. Qu'est-ce qui a changé ? s'enquit-il avec curiosité.

C'était très simple : Charlie Carmichael était mort, et son fils, l'oncle d'Aspen, n'avait pas les moyens d'entretenir le domaine. En tout cas, pas s'il voulait continuer à gâter son épouse. Aussi avait-il décidé de vendre le ranch pour s'installer en Angleterre. Il aurait été logique qu'Aspen l'accompagne. Après tout, il était sa seule famille. Visiblement, la jeune femme avait d'autres projets, mais lesquels ? Il était impératif qu'il en apprenne davantage.

— Je n'ai pas le temps de discuter.

Enfin, c'était surtout qu'il n'en avait pas envie. Tel qu'il le connaissait, Ricardo ne manquerait pas de croire qu'il avait des raisons d'ordre plus personnel de vouloir acheter le ranch.

— Il faut que je prépare le jet.

— Tu comptes prendre l'avion pour East Hampton ?

— Oui, je ne vois pas où est le problème.

— C'est l'anniversaire de maman demain. On lui a organisé une fête surprise.

— Je ne pourrai probablement pas venir, dit-il en se dirigeant vers les vestiaires.

— Ça ne m'étonne pas de toi. Maman sera déçue, une fois de plus ! ajouta-t-il après un instant.

A ces mots, Cruz s'arrêta. Malgré lui, la remarque de Ricardo le blessait profondément. Sa famille était tout pour lui. Il aurait été prêt à faire n'importe quoi pour elle, mais les choses n'étaient pas aussi simples. Tout avait changé quand sa mère avait décidé de l'envoyer travailler à Ocean Haven. Charles Carmichael était un homme autoritaire et colérique qui détestait qu'on lui résiste. Les premiers mois avaient été les plus difficiles. Avec le temps, leurs relations s'étaient quelque peu améliorées… Jusqu'à cettc fameuse nuit…

Secouant la tête, Cruz se tourna vers son frère.

— Tu es vraiment déterminé à me faire changer d'avis, n'est-ce pas ?

Ricardo sourit.

— Ça ne devrait pas t'étonner. Tu es, toi aussi, plutôt du genre têtu, il me semble.

— Je ne suis pas aussi énervant que toi, affirma-t-il avec une grimace. Tu veux que je te dise, frérot : tu n'as pas besoin d'une femme. Tu sais parfaitement comment culpabiliser les autres pour obtenir ce que tu veux.

Aspen soupira. Pour la première fois de sa vie, elle plaignait les représentants qui sonnaient à sa porte. Comment faisaient-ils pour supporter de se voir opposer refus sur refus ? C'était terrible, mais ce n'était pas comme si elle avait le choix. Elle avait besoin d'argent si elle voulait garder le domaine qui était aussi son foyer. Elle était si près du but. Non, vraiment, ce n'était pas le moment de se laisser décourager…

Un sourire aux lèvres, elle se força à se concentrer sur Billy Smyth, troisième du nom — et accessoirement, pire ennemi de son grand-père — qui décrivait en détail le match de polo auquel il avait assisté.

— Oh ! oui, murmura-t-elle. J'ai entendu dire que c'était un but magnifique.

Inutile de préciser qu'il n'aurait jamais pu marquer sans l'appui de ses coéquipiers qui s'entendaient pour l'aider à briller. Ils n'étaient pas stupides : c'était Billy, ou du moins sa famille, qui payait leur salaire.

C'est d'ailleurs pour cela qu'elle avait accepté de le rencontrer après le match. Billy Smyth était peut-être un crétin prétentieux, mais il avait de l'argent. Elle avait donc profité de l'occasion pour lui parler de ses projets pour transformer Ocean Haven — où « la Ferme » comme on l'appelait parfois — en un investissement intéressant pour des hommes d'affaires de sa trempe.

— Ton grand-père doit se retourner dans sa tombe à l'idée qu'un membre de la famille Smyth investisse dans Ocean Haven, déclara-t-il avec un sourire.

Il n'avait pas tout à fait tort. Tout le monde savait que Charles Carmichael était un homme rancunier qui détestait le changement.

— Il n'est plus là, lui rappela Aspen. Et, de toute façon, oncle Joe est prêt à vendre au plus offrant.

— La rumeur dit qu'il a déjà un acheteur.

Aspen s'évertua à rester calme. Il lui manquait encore dix millions. Elle avait déjà obtenu le reste grâce à des amis de son grand-père. Alors, elle pouvait bien supporter les regards lubriques de Billy, non ?

— C'est vrai, reconnut-elle. Un important consortium a fait une offre. Je suis certaine qu'ils prévoient de tout raser pour construire un hôtel, mais je suis déterminée à garder Ocean Haven dans la famille. Je suis sûre que tu me comprends, ajouta-t-elle en posant une main sur son bras.

Billy haussa les sourcils, et Aspen eut envie de se gifler elle-même. Elle en faisait trop, et de toute évidence Billy en était conscient.

— Tu as raison, dit-il avec un sourire comme ses yeux glissaient sur sa poitrine.

Aspen manqua le planter là. C'était tellement humiliant de demander la charité à quelqu'un d'aussi arrogant ! Si son grand-père n'avait pas été aussi borné, elle ne se serait jamais retrouvée dans cette situation…

Elle était venue vivre à Ocean Haven quand sa mère était morte, peu avant son dixième anniversaire. C'était son grand-père et son oncle Joe qui l'avaient élevée. Elle avait toujours aimé oncle Joe bien qu'il n'ait jamais osé s'opposer à son père, et ce, même dans l'intérêt de sa nièce.

A la mort de Charles Carmichael, c'est malheureusement lui qui avait hérité de la propriété. Depuis, il s'était efforcé d'éviter Aspen, car il savait qu'elle n'approuvait pas sa décision. Finalement, elle avait réussi à le coincer dans la bibliothèque pour discuter.

— Je suis désolé, Aspen, mais papa voulait que le ranch me revienne. C'est à moi de décider ce que je veux en faire.

— Je comprends, mais je suis certaine qu'il ne s'attendait pas à ce que tu le vendes.

— Il n'aurait pas dû demander à Joe de régler ses dettes, avait affirmé Tammy, l'épouse de Joe.

— Tu sais aussi bien que moi qu'il était malade, avait répliqué Aspen.

Puis, se tournant vers Joe, elle avait ajouté :

— Je t'en prie, ne vends pas Ocean Haven. Le domaine est dans la famille depuis plus d'un siècle.

— Je suis navré, Aspen, j'ai besoin d'argent. Je ne suis pas aussi cupide que papa. Si tu peux financer l'achat d'une maison pour Tammy à Knightsbridge et mes investissements en Russie, je suis prêt à te vendre Ocean Haven.

— Quoi ? s'étaient écriées Aspen et Tammy.

— Joseph Carmichael, tu n'es pas sérieux ? avait demandé cette dernière.

— J'avais prévu de lui léguer quelque chose de toute façon.

S'adressant à sa nièce, il avait conclu :

— Si tu veux mon avis, tu es complètement folle de vouloir garder cet endroit.

Elle ne l'avait pas écouté. C'était merveilleux qu'il lui propose de garder son foyer. Réunir une telle somme n'allait pas être facile, mais elle était bien déterminée à y arriver…

La cloche annonçant la fin de la dernière période la tira de ses pensées. Il ne lui restait plus beaucoup de temps. Elle devait agir, maintenant !

— Ecoute, Billy, c'est une excellente opportunité. Décide-toi, ordonna-t-elle, oubliant toute prudence.

Il se contenta de la fixer un instant avant de déclarer :

— Le problème, Aspen, c'est que nous sommes très occupés avec Oaks Place. Je vois bien que tu fais de ton mieux pour le cacher, mais il faudra beaucoup de travail pour remettre Ocean Haven en état.

— Je le sais bien, concéda-t-elle, mais je peux y arriver. J'ai tout prévu.

Enfin presque… Mais, ça, il n'avait pas besoin de le savoir.

— Tu devras te montrer plus persuasive si tu veux que je présente ta proposition à mon père, déclara-t-il en lui faisant un clin d'œil.

— Ce qui veut dire ? s'enquit-elle, le cœur au bord des lèvres.

Elle savait très bien ce qu'il sous-entendait. C'était tout simplement hors de question !

— Nous savons tous les deux que tu n'es pas aussi naïve, Aspen. Après tout, tu as déjà été mariée…

C'est pour ça qu'elle ne supportait plus d'être à la merci d'un homme, quel qu'il soit. D'autant plus, quand il était aussi détestable et arrogant que Billy Smyth, troisième du nom.

— Devrais-je user des mêmes arguments pour convaincre ton père ou préfères-tu que je me concentre sur toi ? murmura-t-elle.

Billy la dévisagea un instant sans comprendre.

— Je ne suis pas un proxénète, dit-il enfin en plissant les yeux.

— Non, tu es seulement un salaud de première. Je comprends pourquoi grand-père détestait ta famille.

Loin de se mettre en colère, Billy éclata de rire.

— Tu n'es pas aussi froide qu'on le dit. Ça tombe bien, j'aime les femmes qui ont du tempérament. Appelle-moi si tu changes d'avis, conclut-il en lui caressant la joue avant de s'éloigner.

Trop furieuse pour réagir, Aspen se contenta de le regarder rejoindre un groupe d'invités. Si seulement l'un d'entre eux pouvait lui jeter sa coupe de champagne au visage ! C'était bien tout ce qu'il méritait…

Furieuse, elle tourna les talons et entra en collision avec un homme. Elle serait tombée s'il ne l'avait pas rattrapée par le bras. Les joues rouges, elle voulut le remercier, mais son souffle se bloqua dans sa gorge.

Ce visage… C'était lui !

— Je…, commença-t-elle.

— Bonjour, Aspen. Je suis content de te voir.

# 2.

Cruz ne parvenait pas à quitter Aspen des yeux. A dix-sept ans, la petite-fille de Charles Carmichael était une magnifique jeune fille. A présent, huit ans plus tard, elle s'était transformée en une créature enchanteresse. Ses longs cheveux blonds descendaient en vagues dorées jusqu'à la naissance de ses seins que son décolleté mettait particulièrement en valeur…

Se forçant à croiser son regard, il demanda :

— Et toi ?

Sans un mot, Aspen se redressa et referma le premier bouton de sa robe. De toute évidence, ce charmant spectacle était réservé à quelques riches investisseurs. Aspen devait vraiment être prête à tout pour conserver la propriété. Son comportement était à la fois prévisible… et décevant.

— Je…, dit-elle avant de secouer la tête comme pour s'éclaircir l'esprit. Qu'est-ce que tu fais ici ?

— Ce vieux Charlie doit se retourner dans sa tombe à l'heure qu'il est. Vraiment, Aspen, est-ce une façon de saluer un vieil ami ?

A ces mots, Aspen ne put s'empêcher de frissonner. La voix de Cruz était si calme… si froide.

— Je crois que là où il est grand-père a autre chose à l'esprit, dit-elle avec un sourire dans l'espoir d'alléger l'atmosphère.

— Sous-entendrais-tu qu'il est en enfer, Aspen ?

Non, bien sûr que non ! Ce serait déplacé… bien que probable…

— Non, tu as raison, reprit-elle après un instant, il semblerait que j'ai oublié les bonnes manières. Si on reprenait de zéro ?

Sans attendre sa réponse, elle lui tendit la main.

— Bonjour, Cruz. Sois le bienvenu à Ocean Haven. Tu as l'air en pleine forme.

C'était bien en dessous de la vérité. Cruz était tout simplement superbe. Sa chevelure ébène mettait en valeur l'éclat de ses yeux. Avec les années, les traits de son visage avaient acquis une certaine maturité, renforçant l'aura de virilité et de sensualité qui se dégageait de lui. Inutile de le nier, Cruz était encore plus beau que dans son souvenir.

Sa voix la tira de ses pensées.

— Tout comme toi.

— Merci, rétorqua-t-elle, mal à l'aise.

Qu'était-elle censée faire ? Cela faisait des années qu'ils ne s'étaient pas vus. Leur dernière rencontre remontait à cette fameuse nuit où tout avait basculé. Peut-être que le moment était venu de s'excuser. Après tout, elle avait sa part de responsabilité dans l'affaire. Mais que lui dire ? Le sujet était délicat. Comment lui expliquer qu'elle lui avait écrit une lettre quelques mois après l'incident, mais n'avait pas eu le courage de l'envoyer ? Les mots n'étaient pas suffisants pour exprimer sa honte et ses regrets…

Charles Carmichael avait alors eu une attaque cardiaque, et ces considérations lui étaient sorties de l'esprit. Le temps qu'il guérisse, il était déjà trop tard pour contacter Cruz. Aussi avait-elle tiré un trait sur l'homme qui l'avait fascinée durant son adolescence.

Seulement voilà : Cruz était revenu. Ce qui signifiait peut-être qu'il avait décidé d'oublier le passé une bonne fois pour toutes. Si c'était le cas, elle n'avait aucun droit de lui rappeler ces mauvais souvenirs uniquement dans le but de soulager sa conscience. Si Cruz était capable d'aller de l'avant, elle devait en faire autant…

— Tu es venu pour le match ? s'enquit-elle d'une voix curieuse. La dernière période vient de s'achever, mais…

— Je ne suis pas là pour ça, l'interrompit-il.

— Oh… Il y a du champagne si tu veux. Tu n'auras qu'à dire à Judy que tu viens de ma part et…

— Je ne suis pas venu pour le champagne non plus, la coupa-t-il d'un ton froid.

Qu'est-ce qu'il voulait, alors ? Son comportement commençait à lui taper sur les nerfs.

— Tu pourrais peut-être me dire ce que tu veux. J'ai d'autres personnes à voir. Tu sais comment ça marche, conclut-elle en plongeant son regard dans le sien.

Malgré elle, elle faillit se mettre à trembler. C'était comme si Cruz savait à quel point il la mettait mal à l'aise, comme s'il connaissait ses moindres secrets…

— Je suis venu acheter un cheval, Aspen, finit-il par déclarer.

— Un cheval ?

Avait-elle bien entendu ? Cruz Rodriguez était revenu à Ocean Haven pour acheter un cheval ?

— Il me semble que certains sont en vente, non ?

— Gypsy Blue. C'est une jument magnifique et un vrai pur-sang, bien sûr.

— Je n'en doute pas, rétorqua-t-il, les dents serrées.

Mais qu'est-ce qui n'allait pas chez lui ? De toute évidence, il était tendu… même s'il faisait de son mieux pour le cacher. Dans son costume sur mesure, il avait l'air d'un homme calme et plein de retenue. Il y avait pourtant quelque chose qui la rendait étrangement nerveuse… et ce n'était pas la culpabilité qui lui rongeait le cœur.

— Tu t'attends à ce qu'elle apparaisse par magie ou tu comptes m'emmener la voir, Aspen ?

A ces mots, Aspen ne put s'empêcher de rougir. Cruz avait vraiment le don pour la faire se sentir stupide. Mais il avait l'air tellement sûr de lui… Si séduisant…

— Je…, commença-t-elle avant de s'interrompre comme le souvenir du baiser qu'ils avaient échangé s'imposait soudain à son esprit.

Allons, ce n'était vraiment pas le moment de perdre la tête !

— Tu as raison, reprit-elle en regardant autour d'elle dans l'espoir d'apercevoir Donny.

Avec un peu de chance, il pourrait s'occuper de Cruz. Hélas, il n'était nulle part en vue. Elle allait devoir se débrouiller toute seule…

— Gypsy Blue a participé à la compétition un peu plus tôt, donc elle devrait être dans les écuries sud, dit-elle d'un ton faussement enjoué.

Il fallait que ce soit justement l'endroit où Cruz l'avait embrassée…

— Pourquoi on ne ferait pas un détour par la prairie ? proposa-t-elle dans l'espoir de gagner du temps. Trigger y travaille,et je suis certaine qu'il serait content de te voir et de…

— Je suis simplement venu acheter un cheval, Aspen.

Surprise par sa froideur, elle acquiesça et l'entraîna vers les écuries.

C'était étrange de se retrouver ici avec lui. Cruz ressentait-il la même chose ? Un instant, elle envisagea de lui poser la question avant de se raviser. De toute évidence, il n'avait pas envie de discuter. Comment l'en blâmer après ce qui s'était passé, après ce qu'elle lui avait fait ?

Cela dit, c'était peut-être le moment ou jamais de crever l'abcès. Ça ne serait pas une discussion agréable, mais c'était sans importance. Des années plus tôt, elle s'était fait la promesse de ne plus laisser quelque fierté mal placée influencer ses décisions. Il était temps de mettre ces bonnes résolutions en pratique…

Prenant une profonde inspiration, elle s'arrêta pour lui faire face.

— Cruz, je voudrais te présenter des excuses. Je sais que j'ai ma part de responsabilité dans ce qui s'est passé autrefois et j'en suis désolée.

— Vraiment ? demanda-t-il d'un ton sec.

— Bien sûr que oui ! Je n'ai jamais voulu t'attirer des ennuis. Je t'assure, insista-t-elle comme il restait silencieux.

Si elle était dans les écuries cette nuit-là, c'était uniquement parce que Chad avait annoncé leurs fiançailles à son grand-père. Celui-ci s'était réjoui de voir son unique petite-fille épouser un si beau parti, et les deux hommes avaient aussitôt commencé à planifier la cérémonie. Elle avait alors tenté de leur expliquer qu'elle souhaitait terminer ses études avant de se marier, en vain.

Furieuse d'être ainsi ignorée, elle s'était réfugiée dans le seul endroit où elle se sentait en sécurité et n'avait pas tardé à passer sa frustration sur la porte d'un box. Cruz était descendu quelques minutes plus tard, sans doute intrigué par le bruit. Il portait un jean usé et n'avait pas pris la peine de boutonner sa chemise. Il était tout simplement magnifique.

— Qu'est-ce qui t'arrive, ma belle ? avait-il demandé.

— Tu aimerais bien le savoir, n'est-ce pas ? avait-elle rétorqué avec colère.

Loin d'être impressionné, Cruz s'était contenté de la dévisager en silence. Mue par une force inconnue, elle s'était approchée de lui et avait plongé son regard dans le sien. L'espace d'un instant, c'était comme si le monde extérieur avait disparu. Sans plus prendre la peine de réfléchir, elle s'était alors pressée contre lui, et Cruz lui avait donné un baiser… son premier baiser.

Aujourd'hui encore, elle se souvenait du brasier qui s'était soudain allumé en elle. C'était la première fois qu'elle ressentait une chose pareille. Depuis, elle n'avait plus jamais éprouvé de telles émotions. Ce qui était parfaitement normal. C'était la peur de se retrouver piégée dans une vie qui ne lui convenait pas qui l'avait conduite dans les écuries, mais c'était le charme animal de Cruz qui lui avait fait perdre la tête.

Il était cependant hors de question de le lui avouer. C'était bien trop humiliant. Sans compter qu'il semblait s'ennuyer à mourir…

— C'est du passé, tout ça, Aspen, et je n'ai aucune envie d'y repenser.

— C'est ton droit, reconnut-elle. Je veux quand même que tu saches que j'ai tout expliqué à grand-père dès le lendemain.

— Tu es sérieuse ?

— Oui.

Bien sûr, il avait refusé de l'écouter et lui avait ordonné de sortir de son bureau.

— Je suis vraiment…

— … désolée ? Tu l'as déjà dit. Tu te répètes, Aspen.

Etait-ce un effet de son imagination ou Cruz la détestait-il vraiment ?

— J'en suis consciente, mais j'ai l'impression que tu ne me crois pas.

— Même si c'était le cas, où est le problème ?

— Nous étions amis et…

— Nous n'avons jamais été amis, la coupa-t-il. Cela dit, je suis content de voir que ce petit incident n'a pas empêché Anderson de t'épouser.

— Grand-père m'a interdit de lui en parler.

Cruz éclata de rire.

— Je suis presque désolé pour lui. S'il avait su à quel point tu étais menteuse et manipulatrice, il se serait épargné bien des problèmes.

Malgré elle, sa remarque la blessa. Il était temps de voir la réalité en face : Cruz la haïssait bel et bien.

— Je suis désolée d'avoir abordé le sujet. Je voulais juste m'expliquer et m'excuser, conclut-elle avec un soupir.

— C'est inutile, dit-il en se détournant.

Visiblement, il lui en voulait toujours. Il avait beau nier l'évidence, elle n'était pas dupe. Cruz n'avait aucune intention de lui pardonner… et elle ne pouvait pas l'y forcer.

— J'ai commis une erreur, déclara-t-elle après un instant, mais comme tu l'as dit toi-même tout ça appartient au passé.

Sans lui laisser le temps de réagir, elle rejoignit la porte des écuries et s'engouffra dans le bâtiment.

Aussitôt, l'odeur du foin et des animaux l'enveloppa. Elle s'était toujours sentie parfaitement à sa place ici. Ocean Haven était son foyer, alors peu importait que les murs aient besoin d'un bon coup de peinture ou que le toit fuie. C'était chez elle…

Plusieurs chevaux s'avancèrent et certains se mirent même à hennir pour attirer son attention. Sans y penser, elle voulut glisser les mains dans ses poches avant de se rappeler qu'elle portait une robe.

— Je suis désolée, mes jolis, murmura-t-elle en leur caressant le nez, je n'ai rien pour vous. J'essaierai de vous apporter quelques friandises plus tard.

— Voici Cougar, dit-elle à l'intention de Cruz qui l'observait en silence. On l'a appelé ainsi parce qu'il est aussi courageux qu'un lion et aussi têtu qu'un âne. N'est-ce pas, mon grand ? s'enquit-elle en lui donnant une caresse avant de passer au box suivant. Voici Delta. Elle est…

— Contente-toi de me montrer le cheval en question, Aspen.

A ces mots, Aspen manqua s'emporter. Pourquoi Cruz se montrait-il aussi grossier ?

Agacée, elle s'arrêta devant Gypsy Blue.

— La voilà. Elle descend de Blue Rise et de Lady Belington, expliqua-t-elle. Elle a remporté le Kentucky Derby deux années de suite. Si tu la veux, tu devras te décider rapidement. J'ai un autre acheteur intéressé, déclara-t-elle d'un ton froid.

S'il voulait se montrer désagréable, elle aussi pouvait jouer à ce petit jeu.

Cruz se retint de grimacer. En quelques minutes, la charmante hôtesse s'était transformée en une véritable reine des glaces. Il ne pouvait pas l'en blâmer. Après tout, il ne s'était pas montré courtois, au contraire…

— Je t'ai mise en colère, dit-il d'une voix douce.

Ce n'était pourtant pas le moment. S'il était là, c'était pour découvrir comment elle comptait réunir la somme nécessaire au rachat du domaine, pas pour discuter du passé. Un passé qu'il s'était efforcé d'oublier à la minute où il avait quitté le ranch en n'emportant que les vêtements qu'il avait sur le dos et l'argent qu'il avait gagné.

Malgré lui, son regard s'arrêta à l'endroit où Aspen lui était apparue lors de cette fameuse nuit. Elle ne portait qu'une fine chemise de nuit en coton qui laissait peu de place à l'imagination. C'était le bruit qui l'avait attiré. Au lieu de découvrir un cheval affolé, comme il s'y attendait, il était tombé sur Aspen. Elle était si sexy et avait l'air tellement perdue qu'il avait été incapable de tourner les talons. Il aurait pourtant dû, car elle l'avait piégé.

Lorsqu'elle l'avait embrassé, il s'était efforcé de se contrôler. Malgré le désir qu'elle lui inspirait, il s'était interdit de lui arracher sa nuisette et de la prendre à même le sol. Elle méritait mieux. C'est ce qu'il avait cru à l'époque. Du moins, jusqu'à ce qu'il découvre la vérité. Aspen s'était servie de lui, et il l'avait laissée faire. Il s'était fait avoir en beauté…

La voix de la jeune femme le tira de ses pensées.

— Je sais que les choses sont compliquées, articula-t-elle d'une voix enrouée.

De toute évidence, elle était troublée. Il s'apprêtait à répliquer, mais les mots moururent dans sa gorge à l'instant où Aspen leva les bras pour nouer ses cheveux en une queue-de-cheval. Sa robe était à présent plaquée contre sa poitrine. Malgré lui, une vague de désir le traversa comme il s'imaginait la déshabiller pour découvrir la perfection de ses formes.

S'efforçant de regagner le contrôle de ses émotions, il s'approcha de la jument qu'il était censé acheter. Elle était magnifique. Presque sans y penser, il vérifia les jambes de l'animal et passa la main sur sa robe brillante. Aussitôt, il s'imagina passer les doigts sur la peau douce et satinée d'Aspen.

— C'est vraiment un cheval exceptionnel pour le polo, commenta-t-elle en venant se placer à son côté. Elle est à la fois très détendue sur le terrain et très rapide.

La remarque d'Aspen le ramena à la réalité. Il avait un objectif précis. Ce n'était pas le moment de se laisser aller à des rêveries idiotes…

— Pourquoi la vends-tu alors ?

— Ocean Haven est un haras, pas un manège…, commença-t-elle avec une pointe d'ironie.

— … ni une pension pour chevaux âgés, continua-t-il sans y penser.

C'était l'une des expressions favorites de Charles Carmichael.

— Comme tu dis, rétorqua-t-elle avec un sourire triste.

Sa réaction le surprit. La mort de son grand-père l'avait-elle marquée à ce point ?

— Il te manque ?

— Je n'en sais rien, dit-elle en s'appuyant contre la porte du box. Il m'a recueillie quand maman est morte et il savait parfois se montrer adorable. Cela dit, il devenait infernal quand il n'obtenait pas ce qu'il voulait.

— Il était déterminé à ce que tu épouses un homme au sang bleu qui te donnerait de beaux enfants.

Charles Carmichael lui avait bien fait comprendre qu'il n'était pas cet homme-là lorsqu'il les avait surpris.

— C'est vrai, concéda-t-elle en croisant son regard.

Il eut soudain envie de la punir de ne pas s'être montrée honnête ou sincère avec lui, mais il n'en fit rien. C'était inutile. Le passé était le passé.

— Alors, qu'en penses-tu ?

L'espace d'un instant, il crut qu'elle parlait d'elle puis il comprit.

— Elle est parfaite, je la prends.

— Tu ne veux pas la monter d'abord ? demanda-t-elle avec un sourire.

— Non.

— Eh bien... je vais demander à Donny de remplir les papiers.

— Envoie-les à mon avocat, ordonna-t-il en caressant le nez de la jument qui frotta sa tête contre son torse. J'ai entendu dire que Joe allait vendre Ocean Haven.

— Les bonnes nouvelles voyagent vite !

— Le monde du polo est petit.

— Trop petit, parfois. Elle va salir ton costume si tu la laisses faire, dit-elle en montrant le cheval.

— J'en ai d'autres.

Il en avait probablement des dizaines. Ça devait être tellement merveilleux de ne pas avoir à s'inquiéter de payer ses factures... ou ses vêtements hors de prix.

Elle n'avait jamais été riche. Charles Carmichael les avait accueillies, elle et sa mère, lorsque son père était parti. Aussi leur situation financière s'était-elle nettement améliorée, mais elle ne l'avait jamais tenue pour acquise. Tout pouvait arriver...

— Où comptes-tu aller lorsque le ranch sera vendu ? s'enquit Cruz.

— Le ranch ne quittera pas la famille, affirma-t-elle d'un ton sec.

— Tu comptes l'acheter ?

— Oui.

Avisant que l'abreuvoir de Gypsy Blue était presque vide, elle alla le remplir.

— Laisse-moi faire, ordonna Cruz.

Il lui prit le seau des mains et entra dans le box. Aspen récupéra celui contenant la nourriture et le suivit.

— C'est une grande propriété à gérer seule.

— Tu dis ça parce que je suis une femme ? demanda-t-elle d'un air de défi.

— Pas du tout.

— Désolée. Je suis un peu à cran, reconnut-elle avec un soupir. Tout le monde semble convaincu que je ne pourrai pas me débrouiller. Ils me considèrent visiblement comme une idiote, et ça me rend folle, expliqua-t-elle. Tu n'imagines pas à…

Qu'était-elle en train de faire ? Cruz se fichait bien de ce qui pouvait lui arriver, et voilà qu'elle était en train de se confier à lui.

Secouant la tête, elle reprit :

— En fait, je…

Elle s'interrompit comme une idée s'imposait à son esprit.

Cruz avait de l'argent, plus qu'il ne pouvait en dépenser, à en croire les rumeurs. Il était devenu un homme d'affaires accompli… et incroyablement séduisant.

— En fait ? répéta-t-il d'un air moqueur.

Aspen baissa les yeux. Se pouvait-il qu'il ait deviné à quoi elle pensait ? Qu'il sache à quel point elle le trouvait attirant et fascinant ?

— Je…, commença-t-elle avec hésitation.

Allons, elle pouvait le faire ! Elle avait toujours cru au pouvoir de la pensée positive. C'était le moment ou jamais de se prouver qu'elle avait raison.

— J'ai besoin de dix millions de dollars pour garder la propriété. Tu ne chercherais pas à investir ? s'enquit-elle avec son plus beau sourire.

# 3.

Elle l'avait vraiment fait ! Il ne restait plus qu'à attendre la réponse de Cruz… qui la dévisageait, les sourcils froncés. Il devrait être surpris de son audace, mais ce n'est pas comme si elle avait le choix. Il ne lui restait que cinq jours pour réunir la somme. Et, après leur dernière conversation, il était hors de question de demander l'aide de Billy Smyth…

— Tu veux que je te donne dix millions de dollars ? s'enquit Cruz. Ce n'est pas rien.

— Que tu me les prêtes, le corrigea-t-elle, le cœur battant. Et tu sais ce qu'on dit…

— Pas vraiment.

— Qui ne tente rien n'a rien. Tu es mon seul espoir, ajouta-t-elle d'une petite voix.

— Un bon négociateur ne dévoile jamais ses faiblesses. Ça met son adversaire dans une position dominante.

— Je ne te considère pas comme un adversaire, Cruz.

— Alors tu es une idiote ! rétorqua-t-il en tournant la tête.

A ces mots, elle sentit le désespoir la gagner pour de bon. Pourquoi s'était-elle montrée aussi honnête ? Elle aurait dû s'adresser à lui sur un ton plus professionnel. Cruz était loin d'être stupide. Il connaissait le potentiel du domaine. Cela dit, il aurait probablement refusé de toute façon. Il était évident qu'il la haïssait, à présent…

— Qu'est-ce que j'ai à y gagner ? s'enquit-il soudain.

Avait-elle bien entendu ? Se pouvait-il qu'il soit intéressé ?

— Je peux te montrer. J'ai monté un dossier.

— Vraiment ? lâcha-t-il, sceptique.

De toute évidence, il la prenait pour une bécasse incompétente.

— Oui. Il reprend la liste des juments qui vont mettre bas et une estimation de ce que les poulains vont nous rapporter, expliqua-t-elle. Il y a aussi une description d'un étalon que nous allons acheter pour améliorer le programme de reproduction et des chevaux que nous avons commencé à entraîner. Je ne sais pas si tu es au courant, mais je donne des cours aux adultes et aux enfants. Ce n'est pas tout, ajouta-t-elle, mais je crois que ça te donne une bonne idée des possibilités. Je te promets que ça en vaut la peine.

— Si c'est le cas, pourquoi as-tu autant de difficultés à rassembler les fonds nécessaires au rachat ?

— Parce que je suis trop jeune, c'est du moins la première raison qu'on me donne. Je crois plutôt que c'est parce que grand-père a commis quelques erreurs, ces dernières années. Nous n'étions pas au courant, bien sûr, mais…

Elle s'interrompit soudain. Cruz n'avait pas besoin d'en savoir autant !

— Les banquiers ne me font pas confiance, conclut-elle avec un soupir.

— Tu aurais peut-être dû y penser avant d'abandonner tes études pour épouser un beau parti, dit-il d'une voix froide.

— Ce n'est pas pour ça que je me suis mariée ! se récria-t-elle.

Cruz n'avait pas le droit de lui faire ce genre de

reproche. C'était Charles Carmichael qui l'avait poussée à se marier. Si elle avait obéi, c'était uniquement dans l'espoir de gagner son affection et son respect. En vain.

De plus, elle n'avait pas renoncé à obtenir un diplôme, au contraire. Elle suivait une formation pour devenir vétérinaire, et tout ça en travaillant à plein temps à Ocean Haven.

— Si tu as une si piètre opinion de moi, pourquoi m'as-tu laissée croire que mon projet t'intéressait ? demanda-t-elle avec colère. Tu veux me voler mes idées ?

Cruz éclata de rire.

— Je n'en ai pas besoin, ma belle. J'en ai à revendre.

— Alors, pourquoi me donner de faux espoirs ?

— C'est ce que j'ai fait ?

— Tu le sais aussi bien que moi.

— Peut-être que je suis intéressé, dit-il en s'approchant d'elle.

Pour une raison inconnue, sa remarque la mit mal à l'aise…

— Ne te moque pas de moi, Cruz, le prévint-elle. Il me reste cinq jours avant qu'Ocean Haven ne soit vendu à un consortium quelconque. Je n'ai pas de temps à perdre.

— Ocean Haven représente donc tant pour toi ?

— Oui.

— Probablement parce que c'est la solution de facilité pour une femme dans ta situation, commenta-t-il avec mépris.

*Solution de facilité ?*

Aspen eut envie de se mettre à hurler. De toute évidence, il ignorait qu'elle avait travaillé d'arrache-pied pour garder la propriété en état. Il y avait les chevaux à soigner, les barrières à réparer, la comptabilité… Ce n'était pas facile tous les jours, mais elle tenait bon.

Parce que Ocean Haven était le seul souvenir qui lui restait de sa mère. C'était l'endroit où elles avaient été heureuses quand son père les avait abandonnées et son refuge quand son propre mari l'avait quittée.

Cruz cherchait visiblement à l'insulter et à la blesser, mais ça n'avait aucune importance. S'il pouvait l'aider à sauver le ranch, elle était prête à supporter ses remarques désobligeantes…

— Ocean Haven est dans ma famille depuis des siècles, reprit-elle d'une voix qu'elle espérait ferme et calme.

— Sortez les violons…

Aspen grimaça.

— Je ne me souvenais pas que tu étais aussi cruel.

— Dis-moi, ma belle, de quoi te souviens-tu exactement ? s'enquit-il d'une voix rauque.

Le cœur d'Aspen se mit à battre la chamade.

— Je me rappelle que tu étais très doué avec les chevaux.

Et si beau quand ses cheveux étincelaient au soleil ! C'était à croire qu'il sortait tout droit d'un magazine de mode…

— Tu étais intelligent et plutôt solitaire. Je me souviens de ton rire.

Ce rire si sensuel qui lui donnait envie de sourire…

— Tu avais l'air heureux, continua-t-elle. Je sais aussi que quand tu te mettais en colère personne n'avait le courage de te défier, même pas grand-père. Et tu…

— Ça suffit, la coupa-t-il. Il n'y a qu'une chose que je veux savoir.

Si elle se souvenait de ses baisers ? La réponse était oui. Malgré tous ses efforts, elle n'avait jamais oublié.

— Qu'est-ce que c'est ?

— Jusqu'où es-tu prête à aller ? l'interrogea-t-il en capturant une mèche de cheveux blonds entre ses doigts.

— Qu'est-ce que c'est que cette question ?

— Si je te prête cet argent, je veux quelque chose en échange.

Aspen retint son souffle. Cruz n'était pas en train de sous-entendre qu'il s'attendait à ce qu'elle…

— Quoi ? murmura-t-elle.

— Allons, Aspen, tu m'as parfaitement compris. Il est un peu tard pour jouer les vierges effarouchées, déclara-t-il en plongeant son regard dans le sien. Je suis certain que tu sais réchauffer le lit d'un homme. Qui sait, peut-être que si on arrive à un accord je te laisserai réchauffer le mien.

Comment osait-il ? Vraiment, elle en avait assez de tous ces salauds prétentieux qui la prenaient pour une fille facile ! Cruz avait des raisons de lui en vouloir, mais il n'avait aucun droit de l'insulter de la sorte…

— Ecarte-toi de mon chemin, ordonna-t-elle.

— Prends garde que ta fierté blessée ne te fasse pas commettre des erreurs.

— Ce n'est pas une question de fierté blessée, c'est une question de respect de soi, rétorqua-t-elle avec colère.

— Appelle ça comme tu veux, je t'ai fait une proposition honnête. Tu as quelque chose qui m'intéresse, j'ai quelque chose qui t'intéresse. Il n'y a rien de compliqué là-dedans.

— C'est répugnant !

— Mon offre t'aurait-elle paru moins répugnante si je t'avais dit que tu étais jolie ou que j'avais offert de t'emmener dîner avant de t'inviter dans mon lit ? s'enquit-il en se penchant en avant. Si j'avais vraiment voulu te séduire, tu n'aurais eu aucune chance. Je me serai épargné pas mal de temps et d'argent, ajouta-t-il d'un air moqueur.

A ces mots, elle s'imagina pressée contre son torse musclé, les jambes enroulées autour de sa taille…

Elle secoua la tête pour s'éclaircir les idées et déclara :

— Tu pourrais t'épargner beaucoup d'ennuis en quittant ma propriété, immédiatement. Au fait, juste pour que tu sois au courant, je n'aurais jamais accepté.

— Tu en es certaine ? demanda-t-il en s'approchant davantage.

Malgré elle, Aspen fit un pas en arrière. Elle était à présent coincée entre le mur et Cruz qui n'avait visiblement pas l'intention de s'écarter. Elle posa les mains sur sa poitrine pour le repousser, en vain. Il était trop fort pour elle.

— Tu veux savoir de quoi je me souviens, ma belle ? murmura-t-il à son oreille. Je revois le Bikini rose que tu portais pour monter à cheval sur la plage. Tu aimais me regarder… comme tout à l'heure. Tu t'imaginais entre mes bras, n'est-ce pas ? Tu avais envie de savoir ce que tu ressentirais si je t'embrassais, conclut-il dans un souffle.

Aussitôt, elle se rappela ses baisers et ses doigts parcourant son corps avec avidité. D'une seule caresse, Cruz avait embrasé tous ses sens.

A l'époque, sa propre réaction l'avait tellement choquée qu'elle avait été incapable de réagir quand son grand-père les avait surpris. Elle était restée silencieuse, et il s'en était pris à Cruz qui, pour une raison inconnue, n'avait même pas cherché à protester.

Huit ans s'étaient écoulés depuis cette fameuse nuit, mais rien n'avait changé. Cruz lui faisait toujours autant d'effet… Il était cependant essentiel qu'il l'ignore. Sans quoi il s'en servirait pour obtenir ce qu'il voulait… tout ce qu'il voulait.

— Tu rêves, Cruz, dit-elle d'un air moqueur. Arrête de te faire des illusions, ça n'arrivera jamais.

Cruz serra les poings. Inutile de le nier, la réaction d'Aspen le mettait hors de lui. Elle avait besoin de son aide, mais n'hésitait pas à le traiter avec mépris. De toute évidence, il lui fallait une bonne leçon. Il se faisait d'ailleurs une joie de la lui donner. Ce n'était que justice après ce qui s'était passé.

Il revoyait l'instant où Charles Carmichael les avait découverts, enlacés, dans les écuries. Il l'avait accusé de détruire la réputation de sa petite-fille alors que c'était elle et son sournois de fiancé qui l'avaient piégé pour mettre un terme à sa carrière. Chad Anderson voulait le titre de capitaine de l'équipe de polo de Charles Carmichael, et son rêve était devenu réalité. Encore aujourd'hui, il se demandait ce qu'Aspen aurait fait s'ils n'avaient pas été interrompus. Dieu savait qu'il était prêt à aller jusqu'au bout. Il faut dire qu'Aspen était magnifique… et elle l'était toujours.

Silencieuse, elle le fixait sans ciller comme pour prouver qu'elle n'avait pas peur de lui. Elle avait pourtant les joues rouges et la respiration saccadée. De toute évidence, il ne la laissait pas aussi indifférente qu'elle voulait le lui faire croire…

— Tu aurais adoré ça, souffla-t-il en l'attirant à lui, et je vais te le prouver.

Sans perdre une seconde, il prit ses lèvres. Aspen tenta de le repousser, mais elle ne put s'empêcher de trembler quand il approfondit son baiser. Enfin ! C'était ainsi qu'il la voulait, qu'il l'avait toujours voulue — abandonnée entre ses bras, prête à reconnaître que le désir qui lui brûlait les reins la consumait également. Quand elle gémit, il crut devenir fou. Plus rien n'existait que la chaleur de son corps, la douceur de sa peau satinée sous ses doigts. C'était plus qu'il ne pouvait supporter.

Ce n'était pas ainsi que les choses étaient censées se passer. S'il l'avait embrassée, c'était uniquement pour lui donner une bonne leçon. Non, vraiment, il ne s'attendait pas à se sentir aussi… troublé. C'était davantage que de l'attirance physique. Pour la première fois de sa vie, il avait l'impression d'avoir enfin trouvé sa place. Il devait reprendre le contrôle de ses émotions avant qu'il ne soit trop tard…

Il voulut s'écarter, mais Aspen se lova contre lui. Avec un soupir, elle glissa la main dans ses cheveux, et il en oublia toute prudence. Peu importaient les conséquences, elle était sienne…

— Embrasse-moi, chérie, murmura-t-il d'une voix rauque.

Aspen devait l'avoir entendu, car elle passa les bras autour de son cou pour mieux lui offrir sa bouche. Elle semblait vouloir se fondre en lui, comme si elle ne pouvait vivre sans lui…

Quelque chose le frappa soudain dans le dos, et sa tête heurta celle de la jeune femme.

— Ouille ! s'écria-t-elle en posant la main sur son front.

Cruz lança un regard assassin à Gypsy Blue. C'était elle qui les avait interrompus pour Dieu sait quelle raison. Et dire qu'il avait accepté d'acheter cette satanée jument !

Avec un soupir, il se tourna vers Aspen. Elle avait les joues rouges et les yeux embrumés.

Avant qu'il ait eu le temps de parler, elle le gifla.

— Espèce de salaud !

Avisant l'expression de son visage, il s'abstint de répondre. Elle était aussi blanche qu'une morte…

— Aspen, est-ce que ça va ? demanda-t-il, sincèrement inquiet.

— Regarde ce que tu m'as fait faire.

Avait-il bien entendu ? Elle le rendait responsable de ce qui s'était passé ! Ça n'aurait pourtant pas dû l'étonner. Ce n'était pas la première fois…

— Je n'ai rien fait du tout. Je te rappelle que c'est toi qui m'as frappé. Probablement parce que tu as apprécié que je t'embrasse, ajouta-t-il avec un sourire.

— Comment oses-tu ? Si j'ai repoussé les avances d'un crétin orgueilleux une première fois, ce n'est pas pour accepter les tiennes. Quitte ma propriété avant que je demande à mes hommes de t'expulser, le prévint-elle, les yeux étincelants de fureur.

— Hommes au pluriel, nota-t-il. Je suis flatté…

— Ça ne m'étonne pas de toi. Je préfère me montrer prudente avec une brute dans ton genre.

— Je ne t'ai pas forcé la main, chérie, rétorqua-t-il, à présent énervé. Je n'ai fait que te donner ce que tu voulais.

— Arrête de m'appeler comme ça.

— Comment ?

— Tu le sais aussi bien que moi.

Sauf qu'il n'en avait aucune idée. C'était comme si son cerveau tournait au ralenti et tout ça à cause d'elle. Soudain furieux des accusations d'Aspen, il déclara :

— Tu devrais peut-être t'habiller différemment si tu ne veux pas qu'on te prenne pour une fille facile.

— Tu n'es pas sérieux ?

— Ta robe est tellement courte et moulante qu'on pourrait croire à une invite.

— Je n'ai que faire d'un homme qui se contente de me juger sur mon apparence physique. Tu es bien comme Billy, conclut-elle dans un souffle.

— Nous n'avons rien en commun.

— Continue de te mentir, Cruz, rétorqua-t-elle en secouant la tête. Si tu as besoin de te raconter des histoires pour trouver le sommeil, c'est ton problème, pas le mien.

— Je dors très bien, merci de t'en inquiéter. Au fait, si tu changes d'avis, ajouta-t-il après un instant, j'ai réservé une suite au Boston International jusqu'à demain matin.

— Ne te fais pas trop d'illusions, Cruz, tu risques d'êtrc déçu, dit-elle quittant les écuries.

Cruz la regarda s'éloigner d'un pas décidé.

« Ne te fais pas trop d'illusions, tu risques d'être déçu… »

N'avait-il pas conseillé à Ricardo d'en faire autant ? Pourquoi, au juste ? Du diable s'il le savait…

# 4.

Aspen jura quand une mèche blonde se prit dans la boutonnière de sa robe.

— Saleté de cheveux !

D'un geste rageur, elle se libéra et alla se placer devant le miroir de sa chambre à coucher. Elle ne put s'empêcher de grimacer en découvrant son reflet.

Son visage était rouge et brillant. Quant à ses lèvres, elles semblaient gonflées. Vraiment, elle ressemblait à une fille de joie revenant d'un rendez-vous…

Sa conversation avec Cruz lui revint soudain à la mémoire. Comment avait-il osé la traiter de cette façon ? Il s'était montré cruel et insultant alors qu'elle voulait lui présenter des excuses. Quel salaud ! Et dire qu'il l'avait embrassée… et qu'elle l'avait laissé faire ! Comment avait-elle pu se montrer aussi stupide ? Si Cruz avait cherché à la séduire, c'était pour se venger de ce qui s'était passé autrefois. Et, loin de repousser ses avances, elle les avait accueillies avec passion ! Heureusement que Gypsy Blue les avait interrompus, sinon…

Elle s'immobilisa soudain, les sourcils froncés. Aurait-elle vraiment couché avec lui ? Non, c'était impossible, elle détestait le sexe. Elle s'était laissé emporter, voilà tout.

Sans plus perdre une seconde, elle se débarrassa

de sa robe pour enfiler un jean et une chemise. Ses cheveux rassemblés en une longue tresse, elle retourna aux écuries.

A son arrivée, Donny lui jeta un regard curieux, mais elle l'ignora. Le travail, voilà ce dont elle avait besoin pour oublier Cruz et ses remarques désobligeantes !

« Prends garde que ta fierté blessée ne te fasse pas commettre des erreurs. »

De quoi parlait-il au juste ? Si elle était aussi fière qu'il le disait, elle n'aurait jamais demandé de l'argent à Billy Smyth. Refuser de coucher avec un crétin pareil n'avait rien à voir avec de la fierté mal placée, c'était une question de respect. Sans compter qu'il était marié… et qu'il lui faisait horreur. Tout le contraire de Cruz qui l'attirait, la fascinait même. Etait-ce suffisant pour accepter son offre ?

— Je ne pourrais pas, dit-elle à Delta en brossant vigoureusement la jument.

Vraiment ? Son regard fut soudain attiré par un fer à cheval usé coincé entre deux poutres. Quand elle était enfant, sa mère lui avait raconté comme il était arrivé là. Depuis, c'était toujours ici qu'elle venait se réfugier quand elle avait besoin de son soutien ou de ses conseils.

— Et on peut dire que j'en ai besoin, murmura-t-elle.

Aussitôt, le visage de sa mère lui apparut. Elle semblait toujours si fatiguée ! C'était d'ailleurs ce qui l'avait tuée. A l'époque, elle avait pris un deuxième travail, mais peinait toujours à joindre les deux bouts. Epuisée par une journée de travail et par une nuit à veiller sa fille malade, elle était entrée en collision avec un car sur une route d'Angleterre. Aspen ne se l'était jamais pardonné.

Delta la poussa de la tête comme pour lui rappeler sa présence.

— Je sais, répondit Aspen en la caressant distraitement. Attends une minute, je réfléchis.

Il ne servait à rien de se voiler la face : elle ne réussirait jamais à rassembler la somme nécessaire pour racheter Ocean Haven, en tout cas pas sans l'aide de Cruz.

Il avait peut-être raison à son sujet. C'était par pure fierté qu'elle avait refusé sa proposition. De toute évidence, c'était un défaut courant dans la famille.

Charles Carmichael avait toujours été un homme orgueilleux. Il avait ignoré ses doutes concernant son mariage avec Chad pour ne pas perdre la face en annulant la cérémonie au dernier moment. Sa mère et lui avaient préféré laisser leur relation se détériorer au lieu de s'excuser et d'avancer. Il était hors de question de commettre les mêmes erreurs qu'eux.

C'était décidé : elle allait accepter son offre. Elle allait coucher avec lui ! A cette idée, son cœur se mit à battre la chamade. Et s'il découvrait à quel point elle était mal à l'aise et gauche quand il s'agissait de sexe ? Il ne manquerait sûrement pas de se moquer d'elle. Pourrait-elle supporter une telle humiliation ? A condition qu'elle puisse aller jusqu'au bout, ce qui était loin d'être évident.

C'était justement cela qui avait précipité son divorce. Malgré les excuses de Chad, elle avait été incapable d'oublier ce qui s'était passé durant leur nuit de noces. Il avait bien essayé de se rapprocher d'elle après ça, mais elle ne supportait plus qu'il la touche. Aussi avait-il été chercher du réconfort ailleurs en s'arrangeant pour qu'elle soit au courant. Elle avait tenu six mois durant lesquels elle avait essayé d'être une bonne épouse, en vain. Lorsque Chad l'avait accusée de coucher avec son patron, elle avait fait ses valises et était revenue s'installer à Ocean Haven.

Cruz était très différent de son ex-mari, mais la perspective de passer la nuit avec lui était tout aussi terrifiante…

— Lâche, dit-elle doucement. Pas toi, ma belle, ajouta-t-elle comme Delta s'énervait. Tu es très courageuse. Tu n'hésiterais pas à laisser Ranger's Apprentice te monter si ça pouvait sauver Ocean Haven. Il faut d'ailleurs que je te dise que je compte vous mettre ensemble, la prochaine saison. J'espère que ça ne te dérange pas. Il est très beau, tu sais.

Elle acheva de panser la jument et partit à la recherche de Donny. Il avait probablement terminé son travail à l'heure qu'il était.

— Rentre chez toi, lui ordonna-t-elle, Glenda et les enfants doivent t'attendre.

— Tu es sûre ? Tu as l'air un peu tendue.

Il n'imaginait pas à quel point…

— Que ferais-tu, demanda-t-elle soudain, si tout ce qui compte pour toi risquait de t'être enlevé ?

— Tu parles de Glenda, Sasha et Lela ou de mon foyer ?

— De ton foyer.

— Je me battrais.

— C'est bien ce que je pensais.

— Tu es sûre que ça va, chef ?

— Oui. On se voit lundi, conclut-elle avec un sourire.

Cruz se passa la main dans les cheveux. Il devait avoir perdu la raison, c'était la seule explication. Comment diable avait-il pu offrir dix millions de dollars à Aspen pour qu'elle couche avec lui ? Heureusement qu'elle avait refusé, car il n'avait aucune intention de payer une femme pour cela. C'était bien trop pathétique.

Qu'est-ce qui n'allait pas chez lui ? Au lieu de s'assurer qu'elle ne pourrait jamais réunir la somme nécessaire, il lui avait proposé son aide. Enfin, c'était une façon de parler. Elle n'avait pas tout à fait tort en disant qu'il ne valait pas mieux que Billy Smyth.

Aussitôt, l'image d'Aspen flirtant avec ce dernier s'imposa à son esprit. Il les avait longuement observés avant d'intervenir. Malgré lui, il avait serré les poings lorsque Billy avait caressé le visage de la jeune femme. Aurait-elle été jusqu'à embrasser ce crétin comme elle l'avait embrassé lui, dans les écuries ?

— Qu'elle aille se faire voir ! murmura-t-il en se servant un verre de tequila.

La sonnerie du téléphone retentit soudain et il s'immobilisa. Se pouvait-il que ce soit elle ? Sans perdre une seconde, il décrocha. Le moment était venu de lui dire que l'offre ne tenait plus. Au lieu de ça, il déclara :

— Je passe te prendre à 7 heures.

— Pourquoi ? s'enquit Aspen après un instant.

— Je reprends l'avion pour Mexico demain matin.

— Je peux attendre que tu reviennes à Boston, dit-elle d'une voix rauque.

Elle en était sûrement capable, mais pas lui.

— Tu as besoin de cet argent d'ici à lundi, n'est-ce pas ?

Retenant son souffle, il attendit. Aspen allait-elle l'envoyer promener ?

— Oui, finit-elle par répondre les dents serrées.

— Alors, à demain.

Il raccrocha et s'écroula sur le canapé. Qu'avait-il fait ? Il aurait dû avouer la vérité à Aspen, car il n'avait aucune intention de lui donner de l'argent. Quel genre d'homme était-il donc devenu ? Vraiment, il ne voulait pas y réfléchir…

— Prends une douche et vas te coucher, crétin ! s'ordonna-t-il.

C'était la meilleure chose à faire. Depuis deux ans, le Rodriguez Polo Club organisait la plus importante compétition de polo du Mexique. Cette année, une délégation chinoise avait même fait le déplacement pour l'occasion. Si tout se déroulait comme prévu, il pourrait conclure un contrat avec les Chinois afin d'organiser des matchs à Pékin. Ces trois prochains jours s'annonçaient chargés.

— Il vaudrait peut-être mieux se débarrasser d'Aspen, dit-il à son reflet avant d'entrer dans la douche.

Inutile de le nier, sa présence avait le don de lui faire oublier tout le reste. Il ne pouvait tout simplement pas se concentrer quand elle était avec lui… Peut-être valait-il mieux tirer un trait sur Ocean Haven. Le domaine était magnifique, mais il y avait d'autres propriétés disponibles dans la région. Alors, pourquoi s'obstiner ?

Huit ans plus tôt, Aspen Carmichael l'avait piégé pour que son fiancé obtienne le poste qu'il convoitait au sein de l'équipe de polo. Il lui avait suffi de glisser les bras autour de son cou pour qu'il soit irrémédiablement perdu. A l'époque, il aurait fait n'importe quoi pour elle, car il l'aimait. Et c'était justement ça le problème. Elle avait profité de sa faiblesse pour le tromper.

Aujourd'hui, les rôles étaient inversés. Il avait enfin une chance de se venger. Son comportement n'était peut-être pas très honorable, mais celui d'Aspen non plus. N'était-elle pas prête à user de ses charmes pour obtenir ce qu'elle désirait… exactement comme autrefois ? Elle avait beau dire, rien n'avait changé.

Enfin si, cette fois, c'est lui qui lui donnerait une bonne leçon…

# 5.

Il n'était que 6 heures et Aspen était déjà prête à partir. Elle avait prévenu la gouvernante, Mme Randall, qu'elle partait pour Mexico afin d'aller voir le haras de Cruz. C'était l'explication la plus plausible à son départ précipité, et Mme Randall avait souri en entendant le nom de Cruz.

— Sa famille lui manquait tellement, le pauvre, avait-elle dit. Il était trop fier pour le montrer, mais c'était évident. C'est probablement pour cela qu'il est parti aussi vite. Il voulait sans doute les retrouver.

A ces mots, les émotions qu'elle s'était efforcée d'oublier étaient tout à coup remontées à la surface. Sa culpabilité d'avoir chassé Cruz d'Ocean Haven, et surtout l'incendie qu'il avait éveillé en elle d'un simple baiser.

Heureusement, Mme Randall était partie faire des courses quand Cruz se gara devant la maison. La vieille dame aurait immédiatement deviné qu'Aspen n'était pas dans son état normal. Comment aurait-il pu en être autrement ? La situation était loin d'être simple…

Cachée derrière les lourdes tentures du salon, elle regarda Cruz se diriger vers la maison. Elle attendit plusieurs secondes avant d'ouvrir la porte. Il ne fallait surtout pas qu'il sache à quel point elle était nerveuse.

— Bonjour, dit-elle d'une voix posée. Tu veux un café ou un thé ?

Cruz se contenta d'étudier son visage. De toute évidence, il avait remarqué la marque sombre sur sa joue, celle qu'il lui avait faite en l'embrassant. Malgré tous ses efforts, elle n'avait pas réussi à la cacher.

— Non, répondit-il enfin. Allons-y, mon avion nous attend.

Son avion ?

Autrement dit, ils allaient se retrouver en tête à tête dans un espace réduit pendant toute la durée du vol. Exactement ce qu'elle souhaitait éviter.

Avec un soupir, elle récupéra son trousseau de clés et le document qu'elle avait préparé la veille.

— J'aimerais que tu signes ça d'abord.

— Qu'est-ce que c'est ? s'enquit-il d'un air méfiant.

— Lis-le, je crois que c'est assez clair.

Il s'exécuta et éclata de rire.

Aspen serra les lèvres. C'était pourtant très sérieux. Elle voulait simplement s'assurer qu'il lui verserait la somme convenue même s'il n'était pas satisfait de leur… transaction. Ce qui ne manquerait pas d'arriver.

— Une seule fois ? finit-il par demander. Tu plaisantes ?

— Pas du tout.

Ce serait bien suffisant pour lui comme pour elle.

Comme il souriait toujours, elle s'énerva :

— Je ne vois pas ce qu'il y a de drôle !

— C'est parce que ce n'est pas toi qui paies, dit-il en l'examinant comme si elle était une pouliche qu'il s'apprêtait à acheter.

— Si tu avais lu jusqu'au bout, tu aurais remarqué que j'ai prévu de te rembourser, donc tu ne verseras pas un centime.

— Avec quoi ?

— Je ne comprends pas.

— Avec quoi comptes-tu me rembourser ? demanda-t-il.
— Avec les bénéfices récoltés par Ocean Haven.
— Tu rêves, là, murmura-t-il en se penchant en avant.
Cruz essayait visiblement de la déstabiliser, mais elle n'allait pas se laisser faire. C'était de son foyer et de son avenir qu'il s'agissait.
— C'est ton avis, pas le mien, dit-elle après un instant.
Il l'étudia attentivement avant de déclarer :
— Une seule fois ? Ça a intérêt à être extraordinaire, ma belle.
Au contraire. Ce serait horrible…
— C'est un marché honnête. Décide-toi.
— Je suis d'accord pour une nuit.
— Une nuit entière ? s'enquit-elle, incrédule.
— Tu m'as très bien compris, chaton.
— Comment m'as-tu appelée ?
— « Chaton ». Tu me fais penser à une chatte en colère qui a besoin d'être caressée, expliqua-t-il avec un sourire suffisant.
Quel salaud !
— Très bien, concéda-t-elle en cherchant un stylo.
— Pas si vite. Avant toute chose, je veux savoir ce que ça veut dire, déclara-t-il en montrant un paragraphe — celui qui indiquait qu'il devrait payer quoi qu'il se passe ou ne se passe pas entre eux. C'est ta façon de me dire que tu risques de me faire faux bond ?
Aspen fronça les sourcils.
— Comment ça ?
— Tu comptes changer d'avis, revenir sur ta parole ?
— J'avais bien compris, affirma-t-elle, irritée. Je suis prête à remplir ma part du marché. Je voulais juste m'assurer que tu allais en faire autant.

*
* *

Cruz l'observa un instant. Avait-elle compris qu'il la menait en bateau ? Probablement pas, sans quoi elle n'aurait jamais accepté ses conditions. Une seule fois, le prenait-elle vraiment pour un idiot ? Il manqua éclater de rire, mais quelque chose dans le regard d'Aspen le retint. Elle semblait furieuse, mais aussi étrangement effrayée. Regrettait-elle sa décision ? Ce n'était quand même pas comme s'il lui avait forcé la main. Elle avait fait son choix en toute connaissance de cause. Enfin, pas exactement…

Bon sang ! Il ne pouvait pas faire ça, pas de cette façon.

— Il faut que je te dise quelque chose.

— Quoi ? s'enquit-elle d'un air méfiant.

— Trimex Holdings m'appartient.

— Je suis censée savoir de quoi tu parles ?

— Trimex Holdings a fait la meilleure offre pour Ocean Haven, expliqua-t-il sans ciller.

Une myriade d'émotions se succédèrent sur son visage : le choc, la colère et enfin l'incompréhension.

— Alors tout ceci n'est qu'un mensonge ?

Oh ! non, c'était on ne peut plus vrai. Il la désirait avec une force qui l'étonnait. C'était la première fois qu'il ressentait cela. Il ne pouvait d'ailleurs pas s'empêcher de se réjouir d'avoir apposé sa marque sur le visage d'Aspen comme pour dire au monde entier qu'elle lui appartenait… même si ce n'était que pour une nuit.

— Mon offre ?

— Oui.

— Elle est très sérieuse.

— Je ne comprends pas, avoua-t-elle. Pourquoi me prêtes-tu de l'argent pour acheter une propriété que tu comptes toi-même acquérir ?

— Parce que je suis certain que je vais l'emporter.

Il suffirait de demander à Lauren de faire monter les enchères jusqu'à ce que Joe Carmichael soit forcé de vendre.

Aspen secoua la tête.

— Tu n'y arriveras pas, oncle Joe a toujours été loyal envers moi.

La loyauté avait ses limites… surtout quand il y avait de l'argent en jeu.

— Tu en es certaine, parce que tu peux toujours changer d'avis…

— Tu es vraiment désagréable quand tu veux, dit-elle avec une expression de dégoût sur le visage.

— Je suis surtout très doué pour gagner de l'argent. Et je sais que j'ai raison, ajouta-t-il avec un sourire.

— Pas cette fois. Comment puis-je être sûre que tu n'essayes pas de me rouler ?

Cruz serra les dents. Il se montrait honnête et voilà comme elle le remerciait : en mettant son intégrité en doute…

— Je n'étais pas obligé de te le dire, n'est-ce pas ? s'enquit-il avec colère.

— Bon, ça va. De toute façon, ce n'est pas comme si j'avais le choix, reconnut-elle en prenant le stylo d'une main tremblante.

— Je vais le faire, dit Cruz d'un air impatient.

Sans perdre une seconde, il effectua les modifications, ajouta la date et signa avant de tendre le document à Aspen.

Cette fois, il n'était plus question de reculer. Dans quelques heures, Aspen serait à lui…

Le vol jusqu'Acapulco durait cinq heures. Depuis qu'ils avaient quitté Ocean Haven, Cruz ne lui avait pratiquement pas adressé la parole, mais elle ne s'en plaignait pas. Au contraire. Elle n'avait aucune envie de lui parler, pas après ce qu'il lui avait annoncé. Il lui avait menti depuis le début. Il n'était pas revenu à Ocean Haven pour acheter un cheval, mais la propriété tout entière ! Heureusement qu'oncle Joe était de son côté. Il n'accepterait jamais de vendre à Cruz si elle réunissait la somme nécessaire, et elle était sur le point d'y parvenir. Enfin, à supposer que Cruz ne la mène pas en bateau… C'était cependant peu probable. Il avait paru sincèrement insulté quand elle avait mis son intégrité en doute. De toute évidence, il était bien décidé à remplir sa part du marché.

*Sa part du marché…*

Comment avait-elle pu faire une chose pareille ? Le sexe l'effrayait et l'idée de passer la nuit en compagnie d'un homme aussi arrogant et intimidant que Cruz n'avait rien de rassurant. Alors pourquoi avait-elle accepté ? La réponse était évidente : parce qu'elle refusait de perdre son foyer. Pour la première fois de son existence, elle serait enfin libre de gérer le domaine et sa vie comme elle l'entendait. Ça valait bien quelques sacrifices…

Une fois à destination, Cruz rejoignit un homme qui les attendait sur le tarmac à côté d'un 4x4. Il récupéra les clés et serra la main de l'inconnu avant de se glisser derrière le volant. Evitant son regard, Aspen s'installa sur le siège avant.

Dieu qu'elle était mal à l'aise ! Tout le contraire de Cruz qui semblait parfaitement détendu. Ç'en devenait presque agaçant. Tout aurait été tellement plus simple s'il n'était jamais venu s'installer à Ocean Haven ! Elle n'aurait pas eu à se sentir aussi gauche et ridicule en sa présence. C'était à croire qu'il le faisait exprès…

— Tu sais que je te déteste ? dit-elle soudain.

Elle regretta aussitôt ses paroles. Cruz ne méritait pas ça. D'accord, il la rendait folle et voulait lui prendre sa maison, mais ça ne faisait pas de lui un homme mauvais, n'est-ce pas ?

— Oui, répondit-il d'un air distrait en démarrant la voiture. Mais ça ne change rien.

Comment pouvait-il se montrer aussi distant… aussi insensible ?

— A quoi ? demanda-t-elle, les dents serrées.

— A ça.

Sans lui laisser le temps de réagir, il l'attira à lui et l'embrassa. Déterminée à ne pas se laisser faire, Aspen tenta de le repousser… au début. Un gémissement lui échappa, et Cruz la relâcha, un sourire aux lèvres.

— Il ne te vendra pas Ocean Haven, le prévint-elle dans un souffle.

— C'est ce que nous verrons, rétorqua-t-il, les yeux brillants de malice.

Furieuse, Aspen détourna le regard.

— Dans combien de temps on arrive ? s'enquit-elle d'un ton sec.

— Tu es pressée, ma belle ?

— De me débarrasser de toi ? Oui. Je ne comprends pas pourquoi on n'a pas fait ça dans l'avion, ajouta-t-elle, ou à Ocean Haven.

— Je veux peut-être te séduire avant.

Ignorant sa provocation, elle déclara :

— Je me demande ce que ta mère penserait de ton comportement.

— Nom d'un chien ! pesta Cruz, visiblement choqué par sa remarque.

Il jura de nouveau et accéléra.

— Un problème ? lâcha-t-elle avec espoir.

— Tu peux dire ça.

Elle attendit qu'il continue, en vain. Vraiment, cet homme était impossible !

Avec un soupir, elle se tourna vers la fenêtre. Les montagnes et plaines arides de Mexico offraient un contraste saisissant avec le bleu du Pacifique. Ils traversèrent plusieurs petites villes où flânaient touristes et locaux, bien à l'abri du soleil sous leurs grands chapeaux.

Aspen commença à se détendre et profita du trajet pour observer Cruz. Il avait l'air tellement sérieux ! Comme il n'avait visiblement aucune intention de lui adresser la parole, elle demanda :

— Tu es revenu au Mexique après avoir quitté Ocean Haven ?

— Tu veux que je te raconte ma vie, ma belle ?

Non, elle voulait savoir si une balle en argent le tuerait ou si n'importe quelle munition ferait l'affaire… Quel crétin !

— J'essayais juste de faire la conversation.

— Choisis un autre sujet, ordonna-t-il.

Message reçu cinq sur cinq.

— Pourquoi veux-tu acheter Ocean Haven ?

— C'est un endroit idéal pour construire un hôtel.

— Tu veux raser les bâtiments ? s'enquit-elle, profondément choquée.

Il comptait détruire le seul foyer qu'elle ait connu.

— Peut-être.

— Tu ne peux pas faire ça.

— Si, je peux, répliqua-t-il d'un air tranquille.

— Pourquoi ? Pour te venger ?

Cruz serra les dents.

— Pas pour me venger, pour l'argent, la corrigea-t-il.

Il pouvait toujours courir ! Il ne mettrait jamais la main sur sa propriété.

— Dans combien de temps serons-nous à l'hôtel ? s'enquit-elle d'un ton froid.

— On dirait que tu vas à l'abattoir, ma belle.

Ignorant sa remarque, elle fixa la route devant eux.

— Nous devons faire un détour, ajouta-t-il après un instant.

Plissant les yeux, Aspen demanda :

— Quel genre de détour ?

— Je dois passer voir ma mère.

— Ta mère ? répéta-t-elle, les sourcils froncés. Pourquoi m'emmènes-tu la voir ?

— Crois-moi, ça ne me fait pas plus plaisir qu'à toi, mais mon frère lui a organisé une fête d'anniversaire surprise, expliqua-t-il. J'ai promis de passer.

— Tu aurais pu me prévenir.

— C'est ce que je viens de faire, répliqua-t-il. N'en fais pas toute une histoire.

— Comment peux-tu dire une chose pareille ? Qu'est-ce qu'elle va penser de moi ?

— Que tu es ma maîtresse. A quoi tu t'attendais ? demanda-t-il comme Aspen grimaçait.

Pourquoi devait-il se sentir coupable ? Aspen voulait lui emprunter de l'argent, et il avait accepté sous certaines conditions. Il avait même été jusqu'à lui avouer qu'il comptait acheter la propriété. Que pouvait-il faire de plus ? Il ne l'avait quand même pas forcée à l'accompagner…

La voix de la jeune femme le tira de ses pensées.

— Je n'ai pas de cadeau à lui offrir.

Cruz se força à se concentrer sur la route avant de répondre.

— Je m'en suis occupé.

Par chance, Aspen garda le silence… du moins jusqu'à ce qu'ils aient rejoint le centre-ville.

— Qu'est-ce que tu as prévu ?

— Pardon ?

— Ton cadeau. Si j'étais ta maîtresse, je saurais ce que tu offres à ta mère, expliqua-t-elle avec patience.

— Tu es ma maîtresse, lui rappela-t-il, pour une nuit du moins.

A ces mots, Aspen pâlit, et Cruz retint un juron. De toute évidence, elle considérait leur accord comme une corvée. Il ne manquerait pas de lui faire changer d'avis. Quand il en aurait fini avec elle, elle le supplierait de lui accorder une autre nuit.

— De l'argent, reprit-il doucement.

— Pardon ?

— Je lui donne de l'argent.

— Oh…

— Quel est le problème ? demanda-t-il, irrité par sa réaction.

— Il n'y en a aucun.

Tu parles…

— C'est ce qui fait tourner le monde, ma belle.

— Tu te trompes, c'est l'amour qui fait tourner le monde.

— L'amour ne sert à rien, déclara-t-il avec force.

Aspen pouvait bien désapprouver, peu importe. Ce n'était pas elle qui avait été abandonnée, enfant.

— Ma mère m'a vendu à ton grand-père quand j'avais treize ans, ajouta-t-il. Je crois que je sais ce qu'elle aime.

Aspen écarquilla les yeux.

— J'avais entendu les rumeurs, mais je n'y ai jamais cru.

— Tu aurais dû, affirma-t-il d'un ton sec.

— Je suis certaine qu'elle n'avait pas le choix.

Comme il restait silencieux, elle dit :

— Je sais ce que tu ressens.

— Permets-moi d'en douter. Tu as grandi à Ocean Haven et tu es allée dans une école privée.

— Les choses n'ont pas toujours été aussi faciles, tu sais. Mon père a quitté ma mère quand j'avais trois ans, expliqua-t-elle. Elle a été contrainte de prendre un deuxième boulot pour subvenir à nos besoins. Ce n'est que plus tard que j'ai découvert la vérité : mon grand-père a payé mon père pour qu'il s'en aille.

Cruz fronça les sourcils. Et lui qui pensait que Charles Carmichael s'était occupé de sa fille de son vivant et que le père d'Aspen était mort. On pouvait y dire qu'il s'était bien trompé !

— Ton père était un moniteur de ski, n'est-ce pas ?

— Oui.

— Si tu veux mon avis, tu as de la chance qu'il soit parti.

— C'est à cause de son travail que tu dis cela ? demanda-t-elle, visiblement irritée.

— Non, parce qu'il a pris l'argent, rétorqua-t-il d'un air sérieux. Un parent ne devrait jamais abandonner son enfant.

— Je suis désolée que tu aies connu cela, déclara-t-elle avec douceur.

Cruz retint une grimace. Il ne voulait pas de sa pitié. Sa mère avait fait du mieux qu'elle pouvait, il le savait. De plus, il ne serait probablement pas devenu l'homme qu'il était aujourd'hui s'il n'avait été envoyé au ranch de Charles Carmichael. S'il travaillait aussi dur, c'était justement pour s'assurer que sa famille — quand il déciderait de se marier — ne manquerait de rien…

— Ce n'était pas si mal, fit-il en haussant les épaules. Ça aurait pu être pire.

— C'est vrai, mais quand un enfant se sent délaissé, il…

— Il va de l'avant ! la coupa-t-il.

Visiblement vexée qu'il refuse de parler de son passé, Aspen tourna la tête vers la fenêtre.

— Je voudrais acheter des fleurs, dit-elle soudain.

Cruz s'engagea sur un boulevard et jura. Pour couronner le tout, voilà qu'ils étaient coincés dans les embouteillages !

— Quoi ? demanda-t-il d'un air distrait.

— Je voudrais acheter des fleurs.

— Pourquoi ?

— Parce que c'est l'anniversaire de ta mère et que ça ne se fait pas d'arriver les mains vides, expliqua-t-elle d'un air impatient.

— Je t'ai dit que c'était réglé.

— Je suis certaine que tu t'es montré très généreux, mais j'aimerais lui offrir quelque chose de plus personnel.

Avec un soupir, Cruz se gara le long du trottoir.

— Reste ici, ordonna-t-il comme elle s'apprêtait à sortir. Verrouille les portières.

— Je te rappelle que c'est mon cadeau.

— Ne t'inquiète pas, ma mère saura qu'elles viennent de toi.

La dernière fois qu'il lui avait offert des fleurs, il avait cueilli quelques dahlias le long de la route. Il avait douze ans…

Aspen poussa un soupir de soulagement lorsqu'ils s'arrêtèrent dans l'allée d'une imposante hacienda. Elle sortit de la voiture et rejoignit Cruz qui récupérait de nombreux paquets dans le coffre.

— Je croyais que tu lui offrais de l'argent, dit-elle, un peu perdue.

— C'est le cas. Ces cadeaux sont pour mes neveux et nièces, expliqua-t-il en se dirigeant vers la maison sans un regard en arrière.

Cruz n'était peut-être pas aussi froid et indifférent qu'il voulait le laisser croire, en fin de compte ?

Un sourire aux lèvres, elle le rejoignit et le suivit à l'intérieur. Aussitôt, une foule d'inconnus se pressèrent pour les accueillir.

Les enfants semblaient considérer Cruz comme le Père Noël. Ils le regardaient, des étoiles plein les yeux, comme il distribuait les jouets. Ravis, ils partirent en courant, et les adultes prirent leur place. Eux aussi traitaient Cruz avec déférence. Ils semblaient sincèrement contents de le voir, mais n'osaient pas l'enlacer ou l'embrasser, comme s'ils craignaient sa réaction.

Inconscient de leur gêne, Cruz profita d'un instant de silence pour déclarer :

— Voici Aspen. Aspen, voici ma famille…

On ne pouvait pas faire plus court.

Ignorant les regards curieux, Aspen se força à se détendre et à saluer tout le monde.

— Elles sont de notre part à tous les deux, dit-elle en tendant le magnifique bouquet à la mère de Cruz.

Son beau visage s'illumina, et elle adressa un sourire ravi à son fils… qui l'ignora. Non, mais qu'est-ce qui n'allait pas chez lui ? Il aurait pu se montrer un peu plus gentil !

Un silence inconfortable s'installa aussitôt entre eux. Heureusement, Ricardo annonça qu'un apéritif les attendait sur la terrasse. Gabriella, la benjamine, qui ne devait pas avoir plus de dix-sept ans, prit Aspen par la taille pour la présenter à ses deux beaux-frères.

— C'est la première fois qu'il vient avec sa petite amie, murmura-t-elle en lui montrant le potager planté par sa mère.

Aspen se contenta d'acquiescer. Il était hors de question d'expliquer à la jeune fille qu'elle et Cruz ne formaient pas vraiment un couple. C'était bien trop humiliant…

Comme elles regagnaient le patio, elle découvrit Cruz installé à la place d'honneur. Ses sœurs et sa mère s'affairaient autour de lui comme s'il était le Président en personne. Pire, cette dernière ne pouvait s'empêcher de lui lancer des regards coupables qu'il s'efforçait d'ignorer.

Les mots de Mme Randall lui revinrent soudain à la mémoire. Elle avait dit que sa famille lui manquait. C'était difficile à croire quand on le voyait ainsi, et pourtant elle ne pouvait s'empêcher de le plaindre. Ça n'avait pas dû être facile de quitter son foyer pour s'installer à Ocean Haven. Qu'avait-il ressenti ? Elle aurait tant aimé le savoir, mais c'était impossible. Cruz était bien trop fier, bien trop orgueilleux pour se confier à elle. Si seulement elle pouvait briser cette barrière qui s'élevait entre eux…

Elle fut tirée de ses pensées par l'un des nombreux neveux de Cruz qui voulait jouer aux quatre coins. Gabrielle lui proposa aussitôt de se joindre à eux, et elle accepta. Etrangement, personne ne demanda à Cruz s'il souhaitait participer.

L'un des enfants traça rapidement un carré et un autre lui expliqua les règles. Quelques minutes plus tard, la partie battait son plein. Pour la première fois depuis le début de la journée, Aspen commençait à se détendre. Mieux, elle s'amusait !

Dans un éclat de rire, elle jeta le ballon qui se dirigea vers la table. Cruz le rattrapa au vol et le lui renvoya.

— Viens jouer, dit-elle en le lui lançant.

— Non.

— Il ne joue jamais avec nous, murmura Gabriella d'un air triste.

Aspen lui sourit. Elle savait exactement ce que la jeune fille ressentait. Autrefois, elle aussi avait cherché à gagner l'affection de son grand-père ou de son oncle, mais ils n'avaient jamais de temps à lui accorder. Aussi avait-elle fini par renoncer, mais ça ne voulait pas dire que Gabriella devait en faire autant.

Cruz aimait sa famille, c'était évident. Peut-être n'avait-il besoin que de quelques encouragements pour le leur montrer.

— Tu as peur de perdre ? s'enquit-elle avec un sourire.

A ces mots, Cruz se leva et marcha dans sa direction. Malgré elle, Aspen ne put s'empêcher de trembler. Il semblait si sérieux… si dangereux, tel un fauve sur le point de bondir.

Plongeant son regard dans le sien, il lui prit les mains et y déposa doucement la balle.

— J'ai dit non.

Sans rien ajouter, il tourna les talons et s'éloigna.

— Il ne te fait pas peur quand il te regarde de cette façon ? demanda Gabriella.

Pas vraiment. Cruz pouvait se montrer intimidant surtout quand il se mettait en colère, mais elle s'était toujours sentie en sécurité avec lui. Il faut dire qu'elle avait l'habitude des hommes irascibles. Son grand-père s'emportait facilement ; quant à Chad, l'alcool l'avait toujours rendu agressif, voire violent. Cruz n'avait rien à voir avec eux. Non, vraiment, la seule chose qui l'effrayait était sa propre réaction chaque fois qu'il la touchait. Mais ce n'était pas le moment de penser à cela, pas avec la petite sœur de Cruz qui la dévisageait d'un air inquiet.

— Non, pas du tout, répondit-elle après un instant. Si tu veux mon avis, il aboie plus qu'il ne mord.

La porte de la cuisine s'ouvrit et Ricardo apparut avec un magnifique gâteau.

— Où est Cruz ? s'enquit-il en avisant la chaise vide.

Aspen rougit sous son regard accusateur.

— Je vais le chercher, proposa-t-elle.

Après tout, c'était sa faute si Cruz était parti.

L'espace d'un instant, Ricardo donna l'impression de vouloir l'en dissuader.

— Merci, finit-il par dire.

Sans perdre une seconde, elle s'engagea sur le sentier qui serpentait à travers le vignoble. Elle aperçut aussitôt Cruz. Bien qu'il l'ait probablement entendue arriver, il continua de contempler l'océan, tel un roi surveillant son royaume, puissant, impénétrable… Malgré elle, le cœur d'Aspen se serra. Il était si beau ! Sa chevelure noire étincelait sous le soleil.

— J'avais envie d'être seul, dit-il sans se retourner.

— Ils sont prêts à servir le gâteau.

— Ils t'ont envoyée pour me ramener ?

— Non, répondit-elle en le rejoignant. Je me suis portée volontaire.

Il ricana. De toute évidence, il la prenait pour une imbécile. Il n'avait pas tout à fait tort, du reste. Ne cherchait-elle pas à se rapprocher de lui en dépit du bon sens ?

— Ils ignorent comment se comporter avec toi, affirma-t-elle en plongeant son regard dans le sien. Ta mère en souffre. Elle se sent probablement coupable et elle t'aime. Ils t'aiment tous, dit-elle dans un souffle.

A ces mots, Cruz serra les poings. Aspen pensait-elle qu'il l'ignorait ? Il savait que sa mère s'en voulait. Il avait tenté de lui expliquer qu'elle n'avait rien à se reprocher, en vain. Elle refusait de l'écouter. Ce qui rendait leurs relations et ses relations avec le restant de sa famille très compliquées. En sa présence, ils semblaient toujours prudents, comme s'ils craignaient de le mettre en colère. Les idiots...

— Ne parle pas de choses que tu ne peux pas comprendre, la prévint-il d'un ton sec.

— Je sais que tu es en colère, et c'est tout à fait normal après ce qui s'est passé.

— J'étais l'aîné, c'était mon rôle de prendre soin de ma famille après la mort de mon père, déclara-t-il avec force. C'était ainsi que ça se passait. On se soutenait les uns les autres.

— Les quitter n'a pas dû être facile...

— Ce n'est pas comme si j'avais eu le choix. Le vieux a offert de l'argent à ma mère, et elle a accepté. Elle aurait mieux fait de me laisser rester. J'aurais pu trouver du boulot...

— Où ?

— N'importe où.

Ce n'était pas tout à fait faux. La plupart du temps, il entretenait les jardins de riches propriétaires ou réalisait des petits travaux pour les anciens patrons de son père. A l'époque, il aurait été prêt à faire n'importe quoi. Enfin presque... Il n'avait jamais été assez stupide pour enfreindre la loi.

— Ta mère ne travaillait pas ? demanda Aspen, d'un air curieux.

— Elle était femme de ménage, mais elle ne gagnait pas assez pour élever six enfants. Il n'y avait personne pour nous aider. Ma mère était fille unique, et mon père ne s'entendait plus avec sa famille. Il n'y avait que moi, conclut-il en soupirant.

— Je suis désolée, Cruz. C'est une lourde responsabilité pour un enfant, ajouta-t-elle avec une grimace. Je comprends mieux pourquoi ils te regardent comme si tu étais Dieu en personne.

— Qu'est-ce que tu racontes ? Ils agissent comme s'il ne s'était rien passé, comme s'ils craignaient que j'explose à la moindre contrariété.

Il attendit qu'Aspen le contredise, en vain. Elle se contenait de l'observer en silence. Mal à l'aise, il se détourna. Mais qu'est-ce qu'il était en train de faire ? Pourquoi se confiait-il à une femme qu'il n'aimait même pas, une femme qui le méprisait ? C'était insensé !

La voix de la jeune femme le tira de ses pensées.

— … que tout cela n'est pas réel.

— Pardon ? Tu insinues que je n'aime pas ma famille, que je ne ferais pas n'importe quoi pour eux ? lança-t-il, soudain furieux.

— Bien sûr que non. Tu les aimes, c'est évident, déclara-t-elle avec un sourire. Mais tu ne les prends jamais dans tes bras, tu ne les embrasses pas. Tu me fais penser à mon grand-père, ajouta-t-elle après un instant. Il tenait tout le monde à distance.

Malgré lui, la remarque d'Aspen le blessa. Tout ce qu'il avait fait, il l'avait fait pour ses proches. Et voilà qu'elle se permettait de l'accuser de se montrer froid et distant avec eux. Comment osait-elle ?

— Dis-moi, ma belle, ces séances de thérapie sauvage sont-elles comprises dans notre accord ? s'enquit-il d'un air moqueur.

— J'essayais simplement de t'aider. Je ne sais pas pourquoi je perds mon temps à…

— A quoi ? la coupa-t-il, avec colère. Je ne veux pas de ton aide. Il n'y a qu'une seule chose qui m'intéresse.

Aspen le regarda comme s'il l'avait frappée, et il se sentit aussitôt coupable. Bon sang ! Ce n'était pas le moment de se laisser attendrir.

Aspen l'attirait, l'obsédait plutôt, c'était indéniable, mais il ne devait pas pour autant oublier quel genre de femme elle était. Elle avait réussi à le piéger une fois, et il était hors de question de la laisser recommencer.

Non, il allait coucher avec elle. Quand il aurait enfin satisfait le désir qui le torturait depuis huit ans, il la chasserait de sa vie. Définitivement…

# 6.

Il était encore tôt quand Cruz s'engagea dans l'allée qui menait au Rodriguez Polo Club. Aspen ne put s'empêcher d'être impressionnée. L'immeuble de dix étages était entouré de jardins soigneusement entretenus qui rappelaient la forme d'un fer à cheval. Au centre, une gigantesque fontaine attirait tous les regards.

Dès que Cruz coupa le moteur, un concierge en uniforme se pressa pour les accueillir.

— Je comprends pourquoi l'hôtel est classé sept étoiles. Oh ! c'est magnifique, ajouta-t-elle dans un souffle.

De grands chevaux de bronze flanquaient l'entrée du bâtiment. Ils donnaient l'impression de galoper dans les airs.

— Il y a tant à voir. Je ne suis pas sûre d'avoir envie d'entrer.

— Malheureusement, tu n'as pas le choix, car nous ne sommes pas autorisés à servir des repas sur le trottoir, rétorqua-t-il avec un sourire.

Son cœur se mit à battre la chamade. Il était si beau, si sensuel… Pour une raison inconnue, elle se demanda soudain ce qu'elle ressentirait si la situation était différente. Si le contrat qu'ils avaient signé n'avait jamais existé. Ça devait être merveilleux de se sentir désirée et aimée par un homme comme lui…

A cette idée, elle manqua trébucher. Mais qu'est-ce qui lui prenait, de se poser ce genre de question ? Cruz ne l'aimait pas, il voulait simplement coucher avec elle. « Reprends-toi ! » s'ordonna-t-elle. Ce n'était pas le moment de rêvasser.

Le portier poussa les lourdes portes de verre et inclina la tête au passage de Cruz. Aspen le suivit en silence comme un autre membre du personnel les entraînait vers un imposant panneau de bois représentant un joueur de polo et sa monture. Cruz s'éloigna pour discuter avec son employé, et Aspen en profita pour observer la gravure de plus près.

— C'est toi qui as fait ça ? demanda-t-elle quand l'homme partit.

— Qu'est-ce qui te fait penser cela ? s'enquit-il, surpris par sa question.

— J'ai vu les mêmes gravures chez ta mère, en plus petit bien sûr, et je me suis souvenue que tu aimais travailler le bois. C'est toi qui les as réalisées ?

— Je ne fais plus ce genre de choses depuis des années.

C'était probablement la plus longue phrase qu'il avait prononcée depuis qu'ils avaient quitté la fête. C'était peut-être le moment d'en profiter pour en savoir davantage.

— Tu ne joues plus au polo, non plus. Pourquoi ?

L'espace d'un instant, elle crut qu'il allait refuser de répondre.

— Je n'ai plus le temps, finit-il par avouer.

— Ça te manque ?

Le contraire eût été étonnant, il était si doué autrefois !

— Sois prudente en descendant, se contenta-t-il de dire avant de lui tourner le dos.

Aspen soupira. Pourquoi s'obstinait-elle à lui poser

des questions ? De toute évidence, Cruz détestait parler de lui ou de son passé. Il avait été très clair là-dessus quand elle avait osé l'interroger sur ses relations avec sa mère. Cela dit, il n'avait pas eu tout à fait tort de la remettre à sa place. Après tout, elle n'était pas une experte en relations, au contraire. Peut-être valait-il mieux suivre son exemple et garder le silence.

Résignée, elle lui emboîta le pas et entra dans l'ascenseur privé qui menait directement à son appartement.

Lorsque les portes s'ouvrirent, Cruz sortit sans un regard en arrière. Il déposa ses clés et son portefeuille sur une table en acajou. Aspen le suivit et s'arrêta devant les imposantes portes-fenêtres. La vue était tout simplement à couper le souffle. Le terrain de polo était situé à côté d'une immense écurie en pierre. Plus loin, des chevaux paissaient dans des prairies entourées de barrières blanches.

— C'est une piscine ? demanda-t-elle en avisant une tache bleutée dans le lointain.

— Oui, répondit Cruz en venant se placer à ses côtés. Les chevaux aiment prendre des bains d'eau salée pour se rafraîchir.

— Ils en ont de la chance !

— A ta gauche, juste derrière le coin, tu trouveras une piscine et un spa que tu peux utiliser.

Curieuse et décidée à mettre un peu de distance entre eux, elle alla y jeter un œil.

— Tu ne fais pas les choses à moitié, dit-elle en découvrant les installations.

La piscine était entourée par une haute haie et un grand voile protégeait à la fois du soleil et du regard des curieux.

— Il fait toujours très chaud au Mexique, se contenta-t-il de rétorquer en haussant les épaules.

Alors pourquoi avait-elle si froid ?

— On devrait peut-être commencer…

— Dans la piscine ?

Aspen se représenta immédiatement son torse musclé, doré par le soleil, comme il la prenait dans ses bras. L'espace d'un instant, elle put presque sentir la caresse de l'eau contre sa peau nue.

« Reprends-toi ! » s'ordonna-t-elle. Ce n'était jamais qu'un fantasme. La réalité était toujours décevante, elle était bien placée pour le savoir.

— Non, pas ici.

— Tu as déjà fait l'amour dans une piscine, Aspen ? demanda-t-il d'une voix rauque.

Etait-ce un effet de son imagination ou en avait-il profité pour s'approcher ?

— Ça ne me tente pas.

— C'est dommage, la soirée s'y prête parfaitement.

— Un lit sera parfait, dit-elle d'un ton qu'elle espérait égal.

Là, au moins, elle pourrait toujours fermer les yeux en s'efforçant de songer à autre chose.

Cruz l'observa un instant comme s'il savait à quoi elle pensait.

— Je n'aime pas faire l'amour le ventre vide, déclara-t-il soudain en tournant les talons.

— L'amour n'a rien à voir là-dedans, lui rappela-t-elle.

Il s'arrêta et plongea son regard dans le sien.

— Quand je te toucherai, Aspen, tu auras l'impression du contraire.

A ces mots, elle manqua suffoquer. Comment pouvait-il se montrer aussi arrogant ? Il se trompait s'il croyait la séduire aussi facilement. Et puis pourquoi faisait-il traîner les choses ? Il la désirait, c'était évident. Cela dit, Chad aussi l'avait désirée, du moins au début… Oh ! que devait-elle faire ? Ce n'était pas comme si elle pouvait lui poser la question, c'était bien trop humiliant. Sans compter que la réponse la terrifiait. Pour une raison inconnue, elle avait besoin que Cruz lui prouve qu'il était différent de son ex-mari, que tout espoir n'était pas perdu. C'était sans doute ridicule, car l'espoir n'avait pas suffi à ramener ses parents à la vie ou à forcer son grand-père à l'aimer, mais c'était tout ce qui lui restait…

Secouant la tête, elle regagna le salon et aperçut une bouteille de champagne.

C'était peut-être ça, la solution : boire pour oublier…

Comme s'il lisait dans son esprit, Cruz dit :

— Suis-moi, je vais te montrer ta chambre.

Le cœur d'Aspen se mit à battre la chamade. Allons, ce n'était pas comme s'il lui avait demandé de l'utiliser… pour le moment.

Reculant pour la laisser passer, Cruz montra une porte fermée.

— Voici la salle de bains. Tu devrais y trouver tout ce dont tu as besoin.

Aspen acquiesça d'un air distrait.

— Je te laisse te rafraîchir, ajouta Cruz comme elle restait silencieuse.

Avisant un roman sur la table de nuit, elle demanda :

— C'est ta chambre ?

— A qui croyais-tu qu'elle appartenait ?

— Je…, commença-t-elle avant de s'interrompre sous le poids de son regard. Je croyais que tu voulais que je respecte ton intimité.

— Je préfère que tu réchauffes mes draps. Le dîner sera servi dans vingt minutes, ajouta-t-il en fermant la porte derrière lui.

Soudain lasse, Aspen s'écroula sur le lit. Comment

s'était-elle retrouvée dans une situation pareille ? Presque malgré elle, son regard se posa sur la couverture du livre. C'était l'un de ses préférés ! Cruz le lisait-il vraiment ou se contenait-il de le laisser traîner là pour impressionner ses maîtresses ?

Une heure plus tard, Aspen s'efforçait de faire honneur au délicieux repas qui l'attendait. En vain. Elle était bien trop nerveuse pour manger.

— Il y a un problème ? s'enquit Cruz.

Bien sûr qu'il y en avait un ! D'ici à la fin de la soirée, elle ne manquerait pas de se couvrir de ridicule devant un homme qui la méprisait dans l'espoir de sauver son foyer.

— Non, répondit-elle avec un sourire forcé.

— Le plat ne te plaît pas ? Si c'est trop épicé, je peux te commander autre chose.

— Non, c'est très bon.

— Alors pourquoi tu ne manges pas ? demanda-t-il en prenant une gorgée de vin.

Le souffle d'Aspen s'accéléra lorsqu'il se lécha les lèvres. Une vague de désir la submergea, aussitôt remplacée par de la peur. Cruz semblait si sûr de lui. Comment réagirait-il en découvrant la vérité ? Il valait mieux ne pas y penser.

— J'ai beaucoup mangé à la fête, finit-elle par déclarer comme il l'observait toujours.

— Tu mens, répliqua-t-il d'un air sérieux.

— Je n'ai pas beaucoup d'appétit… même dans mes bons jours.

— Et ce n'est pas un bon jour, n'est-ce pas ?

C'était davantage une affirmation qu'une question. Elle n'était peut-être pas la seule à se sentir mal à l'aise…

— Pas vraiment, reconnut-elle, prudente.

La dernière chose dont elle avait envie était de le mettre en colère.

— C'est parce que tu es toujours amoureuse d'Anderson ?

— Quoi ?

Il n'était pas sérieux, là !

— Non, reprit-elle, notre mariage était voué à l'échec depuis le début.

— Pourquoi dis-tu cela ? demanda-t-il, intrigué.

— Je préférerais qu'on change de sujet.

— Je n'en ai pas envie.

— Eh bien moi je n'ai pas envie d'en parler ! rétorqua-t-elle d'un ton sec.

— Viens ici, dit-il avec douceur.

— Pourquoi tu ne viens pas, toi ? s'enquit-elle en levant le menton en un signe de défi.

Loin de se laisser impressionner, il se contenta de la regarder en fronçant les sourcils. Il veillait à paraître calme et posé, mais elle n'était pas dupe. Cruz était tendu… tout comme elle.

Elle ne put s'empêcher de sursauter quand il se leva. Déterminée à ne pas lui montrer à quel point il la rendait nerveuse, elle resta parfaitement immobile. Ce n'était d'ailleurs pas comme si elle avait le choix. Ses membres semblaient s'être transformés en plomb.

— Tes cheveux sont magnifiques.

A ces mots, son cœur s'emballa. Il se tenait derrière elle, si proche qu'elle percevait la chaleur de son corps à travers ses vêtements. Un soupir lui échappa lorsqu'il glissa les doigts dans sa chevelure. Il ne restait plus qu'à espérer qu'il ne s'en était pas rendu compte. S'il découvrait le pouvoir qu'il avait sur elle, il ne manquerait pas de s'en servir pour obtenir ce qu'il voulait… exactement comme Chad.

— Nom d'un chien, Aspen ! Qu'est-ce que tu as ? s'exclama-t-il comme elle se mettait à trembler.

La colère dans sa voix ne fit qu'accroître sa panique. Incapable de se contrôler une minute de plus, elle se leva et marcha jusqu'à la balustrade. Il fallait mettre de la distance entre eux. Elle avait besoin de réfléchir.

— Qu'est-ce qui te gêne le plus, demanda Cruz en la rejoignant, l'aspect financier ou le fait de coucher avec moi ?

— Ce n'est pas l'argent, dit-elle sans se retourner.

Elle avait prévu de le rembourser, avec intérêts, ce qui lui permettrait de garder la propriété.

— C'est…

— Moi ? la coupa-t-il d'une voix rauque.

Elle frissonna. C'était incroyable, vraiment, l'effet qu'il avait sur elle malgré la peur qui lui nouait le ventre.

— Tu ne m'aimes pas, finit-elle par dire.

Sans dire un mot, Cruz posa les mains sur ses épaules pour la tourner vers lui. Elle s'efforça de distinguer l'expression de son regard, en vain. Il faisait trop sombre. Toujours silencieux, il lui caressa la bouche de son pouce. Aspen poussa un gémissement et referma sa bouche sur son doigt, se délectant du goût de sa peau.

Cruz avait l'impression de devenir fou. Aspen continuait de le garder prisonnier, sa langue s'activant en un balai sensuel. Sur le point d'exploser, il se libéra et l'embrassa. Aspen semblait aussi affamée que lui. Il retint un grognement et traça un sillon de baisers brûlants dans son cou. Elle l'enlaça, et il se pressa plus étroitement contre elle. Dieu, qu'il avait envie d'elle !

D'un geste habile, il glissa la main sous sa robe et entreprit de lui caresser les seins.

— Cruz, je t'en prie…, souffla-t-elle.

— Parfaite, tu es parfaite, murmura-t-il en repoussant la fragile barrière de tissu qui les séparait.

Elle ne put retenir un cri lorsqu'il referma les lèvres sur ses mamelons durcis par le désir.

— Oh ! mon Dieu, Cruz !

Tremblante, elle s'accrocha à lui, et il manqua perdre définitivement le contrôle. Elle était si chaude, si belle ainsi abandonnée entre ses bras… Il la voulait, sur-le-champ !

— J'ai envie de toi, Aspen. Dis-moi que tu as envie de moi, ma belle, ordonna-t-il en remontant sa robe sur ses cuisses. Dis-moi que ça n'a rien à voir avec l'argent.

Aspen se crispa aussitôt, et il jura intérieurement. Qu'est-ce qui lui avait pris de dire une chose pareille ?

Les yeux embrumés par la passion, elle le dévisagea un instant avant de parler.

— Je suis désolée, murmura-t-elle.

Lui aussi, car il ne pouvait pas lui faire l'amour de cette façon. Si Aspen était ici, c'était uniquement parce qu'il la payait…

Le visage de Billy Smyth s'imposa soudain à son esprit, et il serra les poings. Il ne se considérait pas comme un homme violent, mais imaginer Aspen dans les bras d'un autre le rendait fou. Avec qui aurait-elle passé la nuit s'il ne lui avait pas fait cette offre ?

— Cruz ? demanda-t-elle, consciente de son changement d'humeur.

Mais qu'est-ce qui n'allait pas chez lui ? Il était sur le point d'obtenir ce dont il avait toujours rêvé et voilà qu'il renonçait pour une question de conscience ?

Soudain furieux contre lui-même et contre Aspen,

il se détourna. Elle tituba et serait tombée s'il ne l'avait pas rattrapée.

— Doucement…

Aussi pâle qu'une morte, elle le repoussa et remit sa robe en place.

— Je n'arrive pas à croire que j'ai tout gâché, souffla-t-elle.

Elle n'imaginait pas à quel point elle avait raison. A présent, il ne pourrait jamais acheter Ocean Haven et il ne trouverait jamais la paix.

— Va te coucher ! lança-t-il d'un ton sec.

— Je croyais que…

— Je n'en ai plus envie.

La plantant là, il s'éloigna sans un regard en arrière…

Blessée, Aspen se contenta de le regarder partir. Cruz l'avait repoussée, exactement comme Chad autrefois. Malgré les années, elle n'avait jamais oublié l'expression de dégoût sur le visage de son mari, la première fois qu'ils avaient essayé de faire l'amour…

A l'époque, elle avait tenté de se convaincre que le problème venait de lui, en vain. Elle ne pouvait pas s'empêcher de penser le contraire, et voilà que Cruz…

« Arrête ! » s'ordonna-t-elle. Chad et elle avaient divorcé depuis longtemps. Quant à Cruz, elle trouverait un moyen de gérer la situation. Après tout, elle savait que ça risquait d'arriver. Ce n'était pas vraiment une surprise… Et de toute façon ça n'avait aucune importance. Si elle était ici, c'était uniquement pour sauver Ocean Haven, rien de plus.

Redressant les épaules, elle retourna à l'intérieur, bien décidée à parler à Cruz.

— Tu es obligé de me prêter l'argent, déclara-t-elle avec force.

Avec des gestes lents, il porta son verre à ses lèvres avant de se tourner vers elle.

— Pas du tout…

— Bien sûr que si, tu as signé un…

— Je sais ce que j'ai signé, la coupa-t-il d'un ton sec.

Comment osait-elle s'adresser à lui de cette façon ? Comme s'il n'était qu'un moins que rien, comme si elle était trop bien pour lui. *Bon sang !* C'était exactement comme autrefois…

— Nous étions d'accord : si tu ne veux pas… Je te faisais confiance, reprit-elle en plongeant son regard dans le sien.

Malgré lui, sa remarque le toucha. Encore cette satanée conscience qui lui jouait des tours !

— Tu n'as jamais précisé quelle nuit. Tu as quartier libre ce soir, ajouta-t-il avec un sourire moqueur. Comme je te l'ai dit, je ne suis pas d'humeur.

Elle fronça les sourcils.

— Peut-on savoir quand tu seras d'humeur ?

— Je n'en sais rien, rétorqua-t-il d'une voix rauque, déterminé à ignorer le désir qui lui brûlait les reins.

Pourquoi fallait-il qu'elle ait un tel effet sur lui ? Il devait impérativement s'en aller avant qu'il ne soit trop tard…

— Que se passera-t-il si je ne suis pas d'humeur ?

Irrité par son insistance, il s'approcha et l'agrippa par les cheveux pour la forcer à le regarder.

— Crois-moi sur parole, Aspen, quand j'aurai décidé de te faire l'amour, tu seras d'humeur.

Sans lui laisser le temps de réagir, il l'embrassa avec force avant de quitter la pièce.

***

Aspen attendit que les portes de l'ascenseur se referment pour porter la main à ses lèvres. Quel salaud ! Elle aurait dû l'envoyer au diable, et son argent avec lui, mais c'était impossible.

Soudain lasse, elle décida d'aller se coucher. Elle n'avait presque pas dormi depuis deux jours, et la fatigue commençait à se faire sentir. Une bonne nuit de sommeil, voilà ce dont elle avait besoin ! Entre deux bâillements, elle regagna sa chambre… ou, plutôt, celle de Cruz. A cette idée, elle grimaça. Elle ne pouvait pas rester ici, pas après ce qui s'était passé ce soir.

Rassemblant ses affaires à la hâte, elle se réfugia dans une des chambres d'amis. Cruz se croyait irrésistible, il aurait une belle surprise en découvrant qu'elle non plus « n'était pas d'humeur » ! Même si c'était un mensonge, et c'était peut-être ça le plus humiliant. Il l'avait séduite et repoussée sans ménagement, et elle ne l'en désirait que davantage…

Cruz était encore furieux quand il regagna le penthouse, quelques heures plus tard. Après sa discussion avec Aspen, il était descendu aux écuries — comme il le faisait toujours quand il était perturbé. Hélas, il n'avait pas réussi à se calmer et encore moins à chasser Aspen de ses pensées.

C'était ainsi depuis qu'il l'avait revue au match de polo. Elle l'obsédait en permanence. Pire, il lui avait suffi d'un baiser pour lui faire oublier la raison de son retour à Ocean Haven. Plus rien ne comptait que la douceur de sa peau et ses gémissements, quand elle s'était serrée contre lui.

Inutile de se voiler la face : lui faire l'amour n'était pas suffisant. Il voulait qu'elle partage son lit, pas parce qu'elle avait besoin d'argent, mais parce qu'elle en avait au moins autant envie que lui. C'était une erreur, il le savait, mais c'était plus fort que lui. De toute évidence, Aspen Carmichael avait toujours le pouvoir de lui faire perdre la tête. C'était d'ailleurs ce qui la rendait aussi dangereuse. Il s'était brûlé les ailes une fois, il était hors de question de recommencer. A l'avenir, il se montrerait plus prudent et veillerait à garder le contrôle de ses émotions.

Pour une raison inconnue, il songea soudain à leur conversation quand elle l'avait accusé de se montrer froid et indifférent avec sa famille. Elle n'avait pas compris que c'était sa façon de se protéger. Quant à sa remarque insinuant qu'il tenait tout le monde à distance... il aurait suffi de la rejoindre pour lui prouver à quel point elle se trompait.

C'était tentant, mais il ne pouvait s'y résoudre. Il y avait quelque chose d'étrange dans le comportement d'Aspen. Un instant, elle était prête à lui tomber dans les bras et, l'instant d'après, elle semblait terrifiée. Et puis, elle avait eu cette réaction bizarre quand il s'était détourné.

« Je n'arrive pas à croire que j'ai tout gâché. »

Pourquoi avait-elle dit une chose pareille ? C'est lui qui avait décidé de ne pas aller jusqu'au bout. Pour une raison inconnue, elle était convaincue que c'était sa faute. Son manque de confiance en soi avait peut-être un lien avec son mariage. Il aurait aimé l'interroger davantage, mais elle avait eu l'air si triste, si malheureuse qu'il n'avait pas osé. Il aurait pourtant dû. Aspen ne représentait rien pour lui. Il était temps de s'en souvenir.

Sans un bruit, il ouvrit la porte de la chambre à coucher. La pièce était vide. Ainsi, Aspen avait préféré se réfugier dans une des chambres d'amis. Comment l'en blâmer après ce qui s'était passé durant le dîner ?

Du coin de l'œil, il aperçut quelques vêtements étalés sur le sol. Elle avait dû les laisser tomber en partant. Il les ramassa et s'immobilisa soudain en découvrant qu'il s'agissait de dessous de soie. Son désir se réveilla brutalement.

Secouant la tête, il les déposa sur une chaise.

— Pas ce soir, murmura-t-il avant de se diriger vers la salle de bains.

Une douche froide s'imposait !

Comme il terminait de se raser, le visage de Charles Carmichael s'imposa à son esprit. Au début, la détermination, la volonté et surtout la loyauté du vieil homme l'avaient impressionné. Ça n'avait pas duré. Il avait rapidement découvert que Charles Carmichael était un tyran inflexible prêt à tout pour obtenir ce qu'il voulait, y compris à blesser ses proches.

Aspen avait-elle raison en affirmant qu'il lui ressemblait ? C'est vrai, il se montrait parfois froid et implacable, mais uniquement quand les circonstances l'exigeaient. Alors pourquoi sa vie lui semblait-elle aussi superficielle, aussi vide de sens ? Peut-être qu'Aspen n'avait pas tout à fait tort, en fin de compte…

Les sourcils froncés, il étudia son reflet dans le miroir. C'était ridicule ! Il avait tout ce dont un homme pouvait rêver : de l'argent, du pouvoir, des femmes, le respect de tous… excepté Aspen.

Malgré lui, il songea à cette fameuse nuit où elle l'avait piégé. Il aurait pu se défendre, mais quelque chose dans ses yeux, de la peur ou de la gêne — il l'ignorait et n'avait jamais posé la question — l'en avait empêché. Il était parti, fou de rage qu'elle lui ait volé son avenir. Sauf qu'elle avait échoué, n'est-ce pas ? Et aujourd'hui les rôles étaient inversés. On ne se moquait pas impunément d'un Rodriguez, comme aurait dit son père. Il était temps qu'elle paie…

Dès le lendemain, il la renverrait chez elle avec l'argent. Ça n'avait aucune importance à présent, car quoi qu'elle fasse Ocean Haven lui appartiendrait. Il finissait toujours par obtenir ce qu'il voulait. Toujours.

# 7.

Aspen s'éveilla et envisagea un instant de rester couchée, mais c'était impossible. Bien qu'elle en ait envie, elle ne pouvait décemment pas passer la journée dans sa chambre. Aussi se résigna-t-elle à rejoindre la salle à manger du luxueux penthouse. La chance devait être avec elle, car Cruz n'était nulle part en vue.

Son téléphone portable vibra et elle sursauta. C'était un message de Cruz.

> Mets-toi à l'aise et commande ce que tu veux au room service. Nous discuterons ce soir.

— Devant un billet retour pour Boston ? s'enquit-elle à haute voix.

Les événements de la nuit précédente lui revinrent aussitôt à la mémoire, et elle ne put s'empêcher de rougir. L'espace d'un instant, elle s'était crue capable d'aller jusqu'au bout. Il fallait bien reconnaître que les baisers de Cruz étaient très différents de ceux de Chad. Entre ses bras, elle s'était sentie en sécurité et… terriblement excitée. Plus rien n'existait que les mains de Cruz sur son corps, ses lèvres sur les siennes…

Hélas, elle avait paniqué, et Cruz l'avait repoussée… exactement comme Chad.

— Pense à autre chose, s'ordonna-t-elle.

Glissant son portable dans son sac, elle se versa

une tasse de café et jeta un coup d'œil aux nombreux plats qui l'attendaient. Cruz semblait avoir commandé le menu entier. Soudain affamée, elle se servit une assiette d'œufs brouillés et de bacon.

Le repas terminé, elle décida d'en profiter pour étudier. Elle avait pris des cours supplémentaires le prochain semestre pour obtenir son diplôme à la fin de l'année. Il était temps de se familiariser avec la matière si elle ne voulait pas se retrouver noyée dès le début.

Un cheval hennit dans le lointain et un autre lui répondit. Intriguée, elle sortit sur le balcon et aperçut un groupe de chevaux qui s'entraînait sous le regard attentif des palefreniers. A cette vue, son cœur se serra. Elle aurait tant aimé rentrer chez elle…

C'était une erreur, il le savait, mais c'était plus fort que lui. Pendant près de trois heures, il s'était efforcé de se concentrer sur les différents rapports de ses directeurs exécutifs, en vain. Il ne pensait qu'à Aspen. Finalement, il avait ordonné à ses collaborateurs d'aller déjeuner, car il avait une affaire à régler. Il devait à tout prix renvoyer Aspen chez elle. Ainsi il serait de nouveau capable de réfléchir.

Le seul problème était qu'elle avait disparu. Elle n'était ni à l'appartement ni à l'hôtel, pas plus que dans l'un des cinq restaurants de l'établissement ou au spa. C'était à croire qu'elle s'était volatilisée. Il s'était adressé aux membres du personnel qui n'avaient pu cacher leur stupéfaction lorsqu'il avait tenté de la leur décrire. Ce n'était pas étonnant, du reste. A l'entendre, Aspen était un ange descendu du ciel. *Quel crétin !*

En désespoir de cause, il se tourna vers le concierge qui

la reconnut immédiatement. Pour une raison inconnue, sa réaction le mit de mauvaise humeur.

— La blonde avec un corps à damner un…

— Celle-là, oui, le coupa Cruz, furieux.

De toute évidence, il n'avait pas été assez clair. Aspen lui appartenait, à lui et à lui seul.

— Elle est descendue aux écuries, continua le jeune homme, d'un ton tranquille. Du moins, c'est là qu'elle était il y a quelques heures.

Comment savait-il ça, celui-là ? Les imaginer discutant tous les deux le rendait fou de rage.

Sans perdre une minute, il traversa la grande pelouse qui menait au bâtiment. Pourquoi n'avait-il pas attendu qu'elle se lève ? Il se serait épargné bien des tracas.

Le rire de la jeune femme résonna soudain, et il la vit. Elle était penchée en avant et portait un jean usé qui mettait ses formes en valeur.

Il s'approcha et découvrit l'un de ses employés qui remettait prestement son portefeuille dans sa poche.

— Vos services sont requis, *señor* Martin, dit-il, les dents serrées.

Sa réaction était ridicule. Luis Martin était marié. De plus, il n'avait aucun droit d'être jaloux.

— Bien sûr, monsieur, répondit son assistant, les joues rouges. Si vous voulez bien m'excuser, ajouta-t-il à l'intention d'Aspen.

— Nous étions en train de…, commença celle-ci, mais le regard de Cruz la réduisit au silence.

Il portait un costume luxueux, mais en cet instant il n'avait rien de civilisé. Il ressemblait à un guerrier sans pitié… et incroyablement viril.

Une vague de désir la balaya, aussitôt remplacée par de la colère. Cruz n'avait rien à faire ici. Il était censé travailler, pas la surveiller en permanence.

— Laisse-moi deviner, déclara-t-elle d'un ton moqueur. Tu as décidé que tu étais d'humeur ?

— Non.

Son expression s'assombrit davantage comme il s'approchait d'elle. Malgré elle, elle recula et se retrouva à l'intérieur du box que venait de quitter Luis.

— Qu'est-ce que tu trafiques, Aspen ? demanda-t-il en se plaçant devant elle.

Pour mettre de la distance entre eux, elle fit le tour de la jument et récupéra la brosse abandonnée par Luis.

— J'ai interrompu Luis. C'est ma faute s'il n'a pas fini son travail, expliqua-t-elle comme il fronçait les sourcils. Alors je me suis dit que j'allais m'en occuper.

— Je veux savoir ce que tu faisais avec lui !

Aspen écarquilla les yeux. Il n'était quand même pas en train d'insinuer que… *Quel salaud !*

— De toute évidence, tu le sais déjà. J'ai proposé de coucher avec lui, affirma-t-elle en relevant le menton, mais il n'a que neuf millions à me prêter.

— Ne fais pas la maligne.

— Alors, cesse de m'insulter !

A ces mots, il serra les poings comme s'il se retenait de… De quoi, au juste, elle l'ignorait.

— Tu as vraiment une piètre opinion de moi, n'est-ce pas ? demanda-t-elle avec douceur.

— Mets-toi à ma place. Je te trouve en train de glousser comme une collégienne avec l'un de mes employés qui s'empresse de remettre son portefeuille en poche à mon arrivée. Qu'est-ce que j'étais censé penser ?

— Qu'il me montrait les photos de ses enfants, rétorqua-t-elle d'une voix glaciale.

— Je suis désolé, dit-il en baissant les yeux.

L'espace d'un instant, Aspen fut incapable de parler.

C'était la première fois qu'un homme prenait la peine de s'excuser devant elle.

— Ce n'est pas grave.

— Je ne suis pas venu me disputer avec toi, déclara-t-il, visiblement mal à l'aise.

C'était une première ! D'ordinaire, les rôles étaient inversés.

— Pourquoi, alors ? Si tu t'inquiètes pour Bandit, j'ai jeté un coup d'œil, ses sabots sont entièrement guéris.

— C'est au vétérinaire d'en décider.

— Il était occupé, et je sais ce que je fais, rétorqua-t-elle. J'aurai mon diplôme d'ici à la fin de l'année et j'ai déjà soigné ce genre de maladie. Tu vois que je ne me suis pas mariée pour garantir mon avenir, ne put-elle s'empêcher d'ajouter.

— Ça t'a fait du bien de me dire ça, je me trompe ?

— Pas du tout.

— Je suppose que tu veux des excuses ? s'enquit-il avec un sourire.

Non, elle voulait surtout qu'il arrête de la regarder de cette façon, sans quoi elle ne répondait plus de rien.

— Ça serait trop demandé, j'imagine.

— Probablement.

Aspen lui rendit son sourire et prit le sabot de Bandit pour le nettoyer.

— Tu as changé, dit-il soudain. Tu étais une vraie princesse, autrefois.

— C'est comme ça que tu me voyais ?

— C'est comme ça qu'on te voyait tous, répliqua-t-il en haussant les épaules. On préparait ton cheval et tu le montais. Puis tu le ramenais à l'écurie et on le brossait. A l'époque, tu ignorais comment te servir de ça, conclut-il en montrant la râpe, dans sa main.

— C'était parce que grand-père ne voulait pas que

je travaille avec les chevaux. Il avait des idées bien arrêtées en ce qui concerne les femmes, avoua-t-elle avec une grimace. C'est pour ça que ma mère est partie. Elle ne me parlait jamais de lui, mais je l'ai entendue dire à une amie qu'il ne supportait pas d'être contredit.

Son travail terminé, elle se redressa.

— Voilà, c'est fini, ma jolie, dit-elle en flattant la croupe de la jument.

— Pourquoi m'as-tu piégé ? demanda soudain Cruz d'une voix tendue.

La question la surprit tellement qu'elle se contenta de le regarder en silence.

— Qu'est-ce que tu veux dire ? l'interrogea-t-elle après un instant.

— Il y a huit ans, toi et ton fiancé m'avez…

— Mon fiancé ?

Il parlait de la nuit où son grand-père les avait surpris. Et il pensait que Chad et elle étaient… Non, c'était impossible ! Il ne pouvait pas croire une chose pareille.

— Chad et moi n'étions pas encore fiancés, dit-elle.

— Ton grand-père était pourtant certain du contraire.

— J'ai découvert qu'il avait accepté la demande de Chad sans m'en parler.

Cruz jura.

— Tu veux dire qu'il t'a forcée à l'épouser ?

— Non, bien sûr que non. J'aurais pu refuser.

— Mais tu ne l'as pas fait.

C'était plus une accusation qu'autre chose…

— Non, mais je n'avais aucune intention de me marier quand je suis entrée dans les écuries, ce soir-là.

— Et quand tu m'as embrassé ? voulut-il savoir.

— Non plus.

— Ça ne répond toujours pas à ma question.

— Quelle question ? s'enquit-elle d'un air distrait,

comme le souvenir du baiser qu'ils avaient échangé lui revenait.

— Pourquoi m'as-tu piégé ?

— Je ne comprends pas, Cruz.

— Ton grand-père nous a surpris ensemble et m'a chassé de la propriété. Ce qui a permis à ton cher Anderson te devenir capitaine de l'équipe. Et tu veux me faire croire que c'était une simple coïncidence ? demanda-t-il, incrédule.

Elle le prenait vraiment pour un idiot !

— Je n'aurais jamais… Grand-père m'a dit que c'est toi qui avais décidé de partir.

Comme s'il avait eu le choix !

— Il m'a dit un truc du genre : tu peux partir de ton plein gré ou je te mets à la porte.

Il lui avait donné onze ans de sa vie et voilà comment le vieux l'avait remercié !

— Il m'a accusé d'avoir défloré sa précieuse petite-fille alors qu'elle était fiancée à un autre, et tu n'as rien fait pour le convaincre du contraire, ajouta-t-il, ulcéré.

— Ce n'est pas vrai ! J'ai fini par lui expliquer qu'il ne s'était rien passé.

— C'est ce que tu dis.

— Tu ne me crois pas ?

— Ce que je crois n'a aucune importance.

— Ça en a pour moi, le corrigea-t-elle avec force. De toute évidence, ça te fait encore souffrir. Je l'entends dans ta voix. Tu as raison de m'en vouloir. J'aurais dû lui dire la vérité dès le début.

— Ce n'est pas de la douleur que tu entends dans ma voix, mais du dégoût.

Se passant une main dans les cheveux, il poursuivit :

— Je ne dis pas que je n'ai pas souffert à l'époque. Cette nuit-là, j'ai eu l'impression que le monde entier s'écroulait autour de moi. Je pensais que ton grand-père m'appréciait, reconnut-il avec un sourire cynique. Je croyais qu'il avait du respect et même de l'affection pour moi, mais je me trompais. Tu sais ce qu'il m'a dit ? Que je n'étais pas assez bien pour toi. Qu'il ne supporterait pas que sa petite-fille mêle son sang pur à celui d'un métèque comme moi.

— Il a dit la même chose à ma mère, mais elle a refusé de l'écouter. Grand-père ne lui a jamais pardonné, et elle était bien trop têtue pour faire le premier pas. Elle mourait pourtant d'envie de rentrer, avoua-t-elle, les larmes aux yeux. Deux jours après ton départ, il a eu une attaque. Je suis certaine que c'était parce qu'il regrettait ton départ. Tu n'imagines pas à quel point je me suis sentie coupable, mais j'avais peur, Cruz.

Elle se mordilla les lèvres et ajouta :

— Tu sais comme il était. Je craignais qu'il ne s'en prenne à moi.

— C'est ridicule. Il ne t'aurait jamais fait de mal, il t'adorait.

— Tant que j'acceptais le rôle de la petite-fille parfaite ! dit-elle avec une grimace. Quand je suis arrivée à Ocean Haven, j'étais terrifiée. Je craignais que grand-père ne m'aime pas et décide de me renvoyer d'où je venais. Je n'avais personne d'autre, alors je me suis efforcée de lui obéir… Les choses se sont compliquées quand j'ai commencé à le contredire ou à refuser ses décisions. Cette nuit-là… Pourquoi tu ne t'es pas défendu ? demanda-t-elle soudain. Tu aurais pu lui dire que c'est moi qui t'avais embrassé.

— J'étais consentant, et tu avais l'air terrorisée.

Aspen lui adressa un sourire triste.

— Tu n'imagines pas à quel point ! Il était tellement en colère, je ne l'avais jamais vu comme ça.

J'étais pétrifiée. Ça m'arrive souvent quand j'ai peur, expliqua-t-elle comme il haussait les sourcils. J'ai cru que s'il découvrait que je t'avais embrassé, alors que j'étais censée épouser Chad, il…

— … il te chasserait comme ta mère, termina-t-il avec un soupir.

Il ferma un instant les yeux. Comment avait-il pu être aussi aveugle ?

— Je sais que ça semble ridicule, mais…

— L'histoire se répétait : ta mère et le moniteur de ski, toi et le pauvre joueur de polo…

— Je ne voulais pas quitter Ocean Haven. C'était le seul souvenir qui me restait d'elle. Tu te souviens du vieux fer à cheval coincé entre deux poutres, dans les écuries ?

Bien sûr que oui ! Le vieux Charlie en parlait parfois quand il était de mauvaise humeur.

— Oncle Joe et maman s'amusaient, expliqua-t-elle comme il restait silencieux. Elle était si furieuse d'avoir perdu qu'elle l'a lancé en direction de la tête de Joe. Heureusement pour lui, elle ne savait pas bien viser et il est resté coincé entre les poutres. Quand je le vois, j'ai l'impression qu'elle est toujours là, avoua-t-elle avec un sourire.

Elle plongea son regard dans le sien et poursuivit :

— Cette nuit-là, j'étais tellement en colère contre grand-père que je suis allée dans les écuries pour lui parler. Puis tu es arrivé et… Je n'arrive pas à l'expliquer, dit-elle en secouant la tête. Je rêvais de t'embrasser depuis si longtemps. Je sais que tu t'en fiches, mais je suis désolée, Cruz. J'aurais dû prendre ta défense au lieu de m'inquiéter de ce qui risquait de m'arriver.

— Je comprends, Aspen, dit-il en lui donnant un baiser. Il avait un sacré tempérament.

— J'ai parfois l'impression que je lui ressemble.

— Tu n'es pas effrayante quand tu te mets en colère, tu es magnifique.

Il prit son visage entre ses mains et l'embrassa. Elle se lova contre lui, et il approfondit son baiser.

— Mmh…, murmura-t-elle en s'écartant doucement.

Une lueur d'appréhension brilla soudain dans ses yeux comme il se penchait pour reprendre ses lèvres.

Pourquoi diable se montrait-elle si nerveuse chaque fois qu'il la touchait ? Il finirait par découvrir la vérité, mais pas maintenant…

Lentement, prenant soin de ne pas l'effrayer, il posa son front contre le sien.

— Je ne te déteste pas, Aspen, dit-il en réponse à la question qu'elle lui avait posée la veille. Je dois me rendre à un dîner à l'hôtel. Accompagne-moi ! demanda-t-il soudain.

Aspen soupira. Cruz s'était montré si tendre, si doux quand il l'avait embrassée qu'elle avait accepté sa proposition sans réfléchir. Tout s'était déroulé comme dans un rêve jusqu'à ce qu'elle découvre la robe émeraude et la paire de sandales à talons aiguilles qui l'attendaient dans sa chambre.

La voix de Chad avait immédiatement résonné à ses oreilles : « Tu ne vas quand même pas porter ça, on dirait un sac. Tiens, mets ça plutôt… »

A ce souvenir, elle frissonna.

Cruz était très différent de Chad, mais ça ne changeait rien. Autrefois, elle s'était fait la promesse de ne laisser aucun homme prendre des décisions à sa place. Cruz était très riche et avait l'habitude d'obtenir ce qu'il voulait, mais ça ne lui donnait pas le droit de choisir sa tenue. Ce n'est pas parce qu'ils avaient signé un contrat qu'elle devait faire ses quatre volontés…

Et dire qu'elle avait cru que la situation avait changé ! Elle s'était bien trompée. Comment avait-elle été assez stupide pour s'imaginer que c'était un rendez-vous galant ? Tout ça parce qu'il l'avait embrassée avec tendresse et parce qu'il lui avait donné l'impression que le passé était oublié. L'espace d'un instant, elle avait réussi à se convaincre qu'elle comptait réellement pour lui. *Quelle idiote !* Elle ne devait pas, ne pouvait pas se permettre de se laisser aller de la sorte. C'était bien trop dangereux…

Déterminée à l'affronter, elle sortit de la chambre, sa robe à la main. Cruz était en train de téléphoner dans le salon. Avisant l'expression de son visage, il raccrocha à la hâte.

— Je ne peux pas porter ça, s'exclama-t-elle d'une voix forte.

— Ce n'est pas la bonne taille ?

— Non, enfin, je ne sais pas. Je ne l'ai pas essayée.

— Quel est le problème ? demanda-t-il en fronçant les sourcils.

— Je ne t'appartiens pas, dit-elle en croisant les bras. Je suis une femme adulte et indépendante et je suis parfaitement capable de m'habiller toute seule. Tu n'as pas le droit de choisir ma tenue juste parce que tu es riche et que tu as quelque chose à prouver, conclut-elle dans un souffle.

— Si je comprends bien, ton grand-père désapprouvait ta façon de t'habiller, répliqua-t-il d'un ton dangereusement calme en s'installant dans un fauteuil. A moins que ce ne soit Anderson le coupable ?

— Chad n'a rien à voir là-dedans, se récria-t-elle.

Visiblement peu convaincu, il se contenta de hausser les sourcils. Aspen rougit.

— Tôt ou tard, il faudra que nous en parlions.

— C'est hors de question ! s'insurgea-t-elle.

Plutôt mourir que de lui avouer la vérité…

— C'est ce que nous verrons. Pour revenir au problème qui nous occupe, ajouta-t-il en montrant le fourreau de soie, c'est juste une robe, Aspen. Je suppose que tu n'as pas apporté de tenue habillée ?

— Non, mais je suis tout à fait capable de m'acheter des vêtements toute seule.

Irrité par sa réaction, il acquiesça.

— Très bien, je t'enverrai la facture.

Il mentait, c'était évident !

— Tu as acheté une nuit, Cruz, mais ça ne veut pas dire que je t'appartiens.

— Je n'ai aucune envie que tu m'appartiennes, rétorqua-t-il d'un ton sec. Porte la robe ou ne la porte pas, ça m'est égal.

— Y a-t-il quelque chose qui t'intéresse ? s'enquit-elle, exaspérée par son attitude nonchalante. Tu donnes l'impression d'être coupé du monde. Il n'y a que ton travail qui compte. Le reste — ta famille, le polo —, tu t'en fiches royalement…

Cruz se leva d'un bond, et elle s'interrompit. Il n'avait plus l'air détendu et semblait au contraire sur le point d'exploser.

— La robe était ma façon de faire la paix avec toi, déclara-t-il en récupérant sa veste. Fais-en ce que tu veux, je m'en moque !

Et il sortit sans attendre sa réponse.

*
* *

Abattue, Aspen regagna sa chambre et s'appuya contre la porte. Inutile de le nier, elle avait réagi comme une idiote. Mais qu'est-ce qui n'allait pas chez elle ? Cruz cherchait à se faire pardonner, et elle l'avait traité comme le dernier des salauds !

Furieuse contre elle-même, elle se glissa sous la douche et se savonna énergiquement. Aussitôt, une délicieuse odeur de vanille envahit la salle de bains. Pour une raison inconnue, ce parfum lui rappela Cruz.

Il était temps de voir la réalité en face : si elle s'était conduite de cette façon, c'était uniquement parce qu'elle avait peur. Après ce qui s'était passé avec Chad, elle s'était promis de ne plus jamais se retrouver à la merci d'un autre homme. Et c'était ce qui s'était passé. Elle avait besoin de Cruz. Sans lui, elle n'avait aucune chance de sauver Ocean Haven. Et c'était bien là le problème. Elle avait manqué à sa parole…

Elle s'assit sur le lit comme une idée s'imposait soudain à son esprit. Cruz ne lui avait pas donné l'argent, il le lui avait simplement prêté. Dès qu'elle l'aurait remboursé, lui et tous les autres investisseurs, elle ne lui devrait plus rien. Ils seraient de nouveau sur un pied d'égalité.

A cette perspective, elle ne put s'empêcher de pousser un soupir de soulagement. Une nuit, dans une nuit, elle serait libre de rentrer chez elle, seule…

Pour une raison inconnue, cette perspective ne semblait plus aussi réjouissante qu'avant.

Refusant de se poser davantage de questions, elle enfila la robe et s'observa dans le miroir. Naturellement, elle lui allait comme un gant. Cruz avait bon goût. Ce qu'il pouvait être agaçant, parfois !

# 8.

— Est-ce que tu m'écoutes ? demanda Ricardo.

Perdu dans ses pensées, Cruz regarda son frère qui l'observait, les sourcils froncés. Les représentants de la délégation chinoise seraient présents lors du dîner. Aussi Ricardo et lui avaient-ils décidé de se retrouver autour du bar pour discuter de la stratégie à adopter. Malheureusement, il ne parvenait pas à se concentrer.

— Bien sûr, répondit-il d'un air distrait. Continue.

Ricardo s'exécuta, mais Cruz avait l'esprit ailleurs.

Inutile de le nier, il était perturbé par les aveux d'Aspen. Durant huit ans, il s'était cru la victime d'une immense injustice, d'un piège odieux tendu par Aspen et par ce crétin d'Anderson. Il était tellement furieux qu'il n'avait jamais envisagé la possibilité qu'il se trompait. Ce qui s'était passé autrefois l'avait changé, avait modelé son caractère et sa vie. En un instant, Aspen avait réussi à remettre toutes ces certitudes en question.

Mais il y avait pire. A présent qu'il connaissait la vérité, il se sentait incapable d'acheter Ocean Haven. Non, vraiment, il ne pourrait plus jamais se regarder dans la glace s'il lui volait le seul foyer qu'elle ait connu. Cela dit, il ne pouvait pas non plus la laisser emprunter trente millions de dollars. Elle aurait sans doute tout perdu d'ici à la fin de l'année.

Pourquoi s'inquiétait-il de ce qui pouvait lui arriver ?

Aspen était adulte et savait se débrouiller toute seule. Elle n'avait pas besoin de son aide, et pourtant… il avait envie de la protéger. C'était à la fois insensé et ridicule, mais il ne pouvait pas s'en empêcher. Comme il lui était impossible de ne plus penser à elle. *Bon sang !*

Avisant soudain que Ricardo attendait une réponse, il dit :

— C'est bon, j'ai compris. Sam Harris joue demain.

— En fait, il est malade, rétorqua Ricardo avec patience. Tommy Hassenberger le remplace.

— Envoie une bouteille de tequila à Sam.

— Je lui ai déjà envoyé des fleurs.

Cruz secoua la tête.

— Tu n'as pas besoin d'une femme.

D'ordinaire, Ricardo aurait réagi à la plaisanterie. Cette fois, il s'en abstint et demanda :

— Qu'est-ce qui ne va pas ?

— Rien du tout, affirma son frère en se frottant le menton.

Il aurait dû se raser…

— Tu sembles absent. Ça n'aurait pas un lien avec Aspen Carmichael, par hasard ?

— Si je réponds non, tu ne me croiras pas, et si je dis oui tu vas me poser d'autres questions.

Surpris, Ricardo l'observa avant d'éclater de rire.

— Tu es foutu, mon vieux.

Cruz l'ignora. C'est vrai, il désirait Aspen, mais ça s'arrêtait là.

Le murmure des conversations cessa brutalement, et Ricardo émit un sifflement discret.

Cruz se retourna et manqua s'étrangler. Aspen était magnifique ! Sa robe de soie verte mettait ses formes en valeur. Avec ses cheveux relevés en un chignon lâche, elle ressemblait à une actrice hollywoodienne des années cinquante. Quelqu'un prononça son nom, et elle sourit avant de rejoindre les joueurs de son équipe de polo, installés autour d'une table de bois. L'un d'eux lui prit la main, et Cruz faillit devenir fou. Aspen était à lui. Elle lui appartenait… pour cette nuit du moins, et il était temps de le lui rappeler.

Sans perdre une seconde, il marcha vers le petit groupe. Aspen ne l'avait pas entendu approcher et elle sursauta quand sa hanche frôla la sienne. Elle leva les yeux vers lui en rougissant. Cruz se retint de sourire.

— Messieurs, dit-il en glissant une main dans son dos, si vous voulez bien nous excuser… ?

Ce n'était pas vraiment une question, et ils le savaient. Seul Tommy Hassenberger eut l'audace de protester.

— On dirait que je n'ai plus aucune chance, se plaignit-il.

— Tu n'en as jamais eu, plaisanta l'un de ses amis, et ils éclatèrent de rire avant de s'éloigner.

Cruz en profita pour entraîner Aspen à l'écart.

— Tu portes ma robe, dit-il soudain.

— Oui. Elle est très belle. Je te remercie, ajouta-t-elle dans un souffle.

— Tu es magnifique.

— Tu es très élégant, toi aussi, rétorqua-t-elle en plongeant son regard dans le sien.

— Il faut que je te dise quelque chose, Aspen.

— Qu'est-ce qu'il y a ? demanda-t-elle d'un air méfiant.

Il jura intérieurement. La dernière chose qu'il voulait était de l'inquiéter. En la voyant ainsi à son côté, il n'avait plus qu'une envie : tirer un trait sur le passé et l'emmener à l'étage pour lui faire l'amour.

— Je…

— Excusez-moi, *señor* Rodriguez, vos premiers invités vous attendent dans le salon rose.

— Merci, Paco. J'arrive dans une minute.

Celui-ci inclina la tête et s'éloigna.

Cruz porta la main d'Aspen à ses lèvres et, aussitôt, elle sentit son pouls s'accélérer. C'était rassurant de constater qu'il lui faisait toujours de l'effet…

— Je n'aurais jamais dû organiser ce dîner ridicule.

— C'est un repas en l'honneur de tes futurs partenaires financiers. Et puis, ça te permet de leur faire découvrir ton merveilleux hôtel. C'est important, conclut-elle avec un sourire.

Peut-être, mais pas autant que son besoin de lui faire l'amour, sur-le-champ !

La force de son désir aurait peut-être dû l'inquiéter, mais il n'avait ni l'envie ni le temps d'analyser ses émotions. C'était d'ailleurs inutile. Tout rentrerait dans l'ordre dès qu'il aurait couché avec elle.

A cette idée, il ne put s'empêcher de sourire.

Sa main dans le creux de son dos, il l'escorta en direction du restaurant.

Aspen était aux anges. Tout se déroulait comme dans un rêve. Ignorant à quoi s'attendre, elle était très nerveuse quand elle s'était installée à table. Cruz s'était toutefois montré si gentil et charmant qu'elle avait fini par se détendre. Il avait remarqué que l'entrée ne lui plaisait pas et lui avait immédiatement proposé son soufflé au fromage. Quand les serveurs avaient apporté le plat principal, c'est elle qui avait insisté pour échanger son steak contre son poulet. Il lui avait alors souri avant de reprendre sa conversation avec deux de ses investisseurs chinois.

De temps en temps, il glissait sa main dans la sienne comme si c'était la chose la plus naturelle du monde… comme s'il s'agissait d'un vrai rendez-vous. On aurait dit que quelque chose avait changé depuis leur conversation, plus tôt dans la soirée. Il n'hésitait pas à lui caresser la paume, s'inquiétait qu'elle ne manque de rien… Vraiment, il se comportait comme un homme amoureux. C'était du moins l'impression qu'il donnait…

Chad aussi s'était montré gentil et attentionné au début. Tout avait basculé l'année où Cruz avait quitté Ocean Haven. Son grand-père était alors trop malade pour envoyer ses joueurs s'entraîner en Angleterre, et Chad n'avait pas réussi à obtenir un poste permanent au sein de l'équipe. Il s'était alors mis à boire. Quand ils s'étaient mariés, il n'avait plus rien de commun avec le jeune homme courtois et charmant qu'elle avait connu. Devant la gravité de la situation, son père l'avait menacé de lui couper les vivres s'il ne se reprenait pas et ne trouvait pas rapidement un « vrai » travail. Elle avait fait de son mieux pour le soutenir, mais il se montrait de plus en plus agressif. Lors de leur nuit de noces, il avait même… Non ! Ce n'était pas le moment de songer à ça !

Pensive, elle observa Cruz. Serait-il doux et patient ? Il s'était montré très tendre, mais ça ne voulait pas dire qu'il n'était pas capable du pire.

Malgré elle, son regard fut attiré par sa main. Il passait le pouce sur le bord de son verre de vin… comme il avait caressé ses lèvres, un peu plus tôt. A ce souvenir, son souffle s'accéléra comme une douce chaleur se répandait dans son ventre.

La voix de Cruz la tira de ses pensées.

— Aspen ?

Elle le regarda sans le voir.

— Est-ce que ça va ? s'enquit-il d'une voix douce qui la fit frissonner.

C'était plus fort qu'elle. Son corps semblait déchiré entre la peur et le désir.

— Oui…

« Tu n'es qu'une gourde », ajouta-t-elle pour elle-même.

Une vague de tristesse s'abattit soudain sur elle. C'était le genre d'expression qu'utilisait sa mère. Elle lui manquait tellement ! Son grand-père l'avait peut-être accueillie chez lui, mais il ne l'avait jamais vraiment aimée…

— Tu es sûre ? insista Cruz. Tu as l'air ailleurs.

Il avait l'air si inquiet qu'elle ne put s'empêcher de croiser son regard.

— Qu'est-ce qui ne va pas ? demanda-t-il en avisant l'expression de son visage.

— Rien du tout. Je dois juste aller aux toilettes.

Elle se força à sourire.

— Ne sois pas trop longue, finit-il par dire. J'ai envie de partir.

*Dieu du ciel !*

Elle se leva d'un bond, mais la nappe s'enroula autour de ses jambes. Cruz la libéra, et elle s'éloigna, le cœur battant.

Une jeune femme lui sourit quand elle poussa la porte, mais elle l'ignora. Elle s'approcha du miroir et s'examina d'un œil critique. Ses joues étaient rouges et ses yeux étrangement brillants. A croire qu'elle avait de la fièvre. Ce n'était pas très loin de la vérité. Aussi loin qu'elle s'en souvienne, elle n'avait jamais été aussi nerveuse. Sauf peut-être, le jour de son mariage… et à raison.

Une crampe lui tordit soudain l'estomac, et elle dut s'accrocher au lavabo pour ne pas tomber. Elle ne pouvait pas le faire, c'était tout simplement au-dessus de ses forces. Il ne restait plus qu'à l'annoncer à Cruz et à espérer qu'il accepterait de lui prêter l'argent. Oh ! mais s'il refusait ? Il en avait le droit, puisqu'elle ne remplirait pas sa part du marché. Peut-être que, si elle lui expliquait la situation, il se montrerait compréhensif ? Sous ses dehors froids et indifférents, Cruz était un homme bon, elle en était convaincue. C'est pour cette raison qu'elle n'arrivait pas à le détester, bien qu'il soit décidé à acheter Ocean Haven. Ces derniers jours, elle avait appris à le connaître davantage et même à l'apprécier.

— N'oublie pas pourquoi tu es là, conseilla-t-elle à son reflet.

Pour Ocean Haven, elle allait devoir l'affronter.

Elle se recoiffa, sortit et manqua heurter Cruz qui l'attendait devant la porte.

— Ça fait si longtemps que tu es là-dedans que je commençais à m'inquiéter, avoua-t-il. J'étais sur le point d'entrer, mais j'avais peur de te surprendre.

— Ça ne m'aurait pas dérangée, mais je crois que la vieille dame n'aurait pas apprécié.

Cruz éclata de rire, et Aspen se détendit légèrement.

— On y va ?

Posant sa main dans la sienne, elle se demanda soudain si son oncle avait raison à son sujet. Peut-être était-elle folle de vouloir sauver Ocean Haven à tout prix ?

Pensive, elle l'étudia. Il était plus beau que Chad, plus fort aussi, mais contrairement à lui il ne s'en prendrait jamais à elle. Non, Cruz était arrogant et autoritaire, mais également droit et honnête. Il sourit, et le désir qui brûlait dans son regard la fit frissonner de plaisir. Peut-être que, finalement, elle allait y arriver…

Comme ils se dirigeaient vers la réception, elle aperçut soudain un homme appuyé contre un bureau. Il lui tournait le dos, mais ses cheveux blonds lui semblaient familiers. Se pouvait-il que ce soit… Chad ?

Cruz appela l'ascenseur, et son attention fut attirée par leur reflet dans les portes dorées. Ils étaient parfaitement assortis. Lui, grand et élégant dans son costume sur mesure, elle, fragile et féminine dans sa magnifique robe verte. Il lui sourit, et elle ne put détourner les yeux.

Tandis que Cruz pénétrait dans la cabine, elle en profita pour jeter un coup d'œil vers la réceptionniste. Hélas, l'inconnu avait disparu. Elle aurait aimé s'assurer que ce n'était pas Chad. Cela dit, il n'y avait aucune raison que ce soit lui. Après leur divorce, ils s'étaient évités avec soin, et il n'y avait pas de raison pour que cela change. Etrangement, la présence de cet homme l'inquiétait.

Le cœur battant, elle suivit Cruz à l'intérieur et pressa le bouton du dernier étage à plusieurs reprises, en vain. L'ascenseur restait obstinément immobile. Fronçant les sourcils, elle s'aperçut soudain que Cruz l'observait d'un air amusé. Elle rougit aussitôt. *Quelle idiote !* Il devait d'abord saisir son code personnel. Il s'exécuta, et les portes se refermèrent.

Aspen poussa un soupir de soulagement. Pourquoi avait-il fallu que Chad — si c'était bien lui — réapparaisse dans sa vie le jour où elle s'apprêtait à coucher avec un autre ? A croire que l'univers cherchait à la mettre en garde.

Cruz la prit soudain par la taille, et elle ne put s'empêcher de sursauter.

— Qu'est-ce qui se passe, Aspen ? Tu es aussi nerveuse qu'une pouliche avant sa première course.

Sa remarque la fit sourire, mais ne suffit pas à la détendre. Elle ne pouvait pas lui dire qu'elle croyait avoir vu Chad. Cruz ne manquerait pas de lui poser des questions auxquelles elle n'avait aucune envie de répondre. Et si elle s'était trompée, si ça n'était pas Chad ? Non, vraiment, elle aurait l'air stupide ou paranoïaque…

— Je vais bien, affirma-t-elle.

— Tu trembles.

Il fallait à tout prix qu'elle se reprenne, maintenant !

— C'est à propos de notre accord, parce que si c'est le cas, je…

— Non, le coupa-t-elle. Pour te dire la vérité, je n'y pensais même plus.

— Parfait.

Avait-elle bien entendu ? Mais que voulait-il dire ?

L'ascenseur s'immobilisa, et Cruz l'entraîna vers le salon avant qu'elle ait le temps de l'interroger davantage.

De toute évidence, la gouvernante les avait précédés. Plusieurs lampes avaient été laissées allumées à leur intention.

— Tu veux boire quelque chose ? s'enquit Cruz.

— Oui, merci.

— Qu'est-ce que je te sers ?

— Un gin tonic, dit-elle sans réfléchir.

Elle n'aimait même pas ça…

Nerveuse, elle se mit à étudier les tableaux décorant la pièce.

— C'est un Renoir ? demanda-t-elle soudain, abasourdie.

— Oui, répondit-il en lui tendant son verre.

— Tu ne prends rien ?

— Non, rétorqua-t-il en s'installant sur l'accoudoir du canapé. Quelque chose ne va pas ?

— Pardon ?

— Ton verre… Tu n'y as pas touché.

— Non, c'est parfait… enfin, je crois. On devrait peut-être commencer…

— Commencer ?

Cruz ouvrit la bouche comme s'il s'apprêtait à ajouter quelque chose. Au lieu de ça, il se leva et marcha lentement dans sa direction. Arrivé à sa hauteur, il tendit le bras vers elle.

Malgré ses efforts, Aspen ne put s'empêcher de tressaillir.

— Je veux juste détacher tes cheveux, lui dit-il d'une voix douce. Je peux ?

Elle acquiesça sans lever les yeux.

— Tourne-toi.

Il lui fallut rassembler tout son courage, mais elle s'exécuta. Peu importe ce qui s'était passé avec Chad, elle en était en sécurité, à présent.

— Tu as un dos magnifique, chuchota-t-il en posant les paumes sur ses épaules, à la fois souple et musclé.

Un soupir lui échappa quand il entreprit de la masser.

— Ça fait un bien fou. Je suis tellement tendue !

Il faillit lui demander pourquoi, mais elle gémit et il en oublia toute pensée cohérente.

Il avait rêvé de cet instant pendant toute la soirée. Aspen l'obsédait tant qu'il avait été incapable de songer à autre chose. Pour ce qu'il en savait, il avait accepté de construire cinq hôtels en Chine. A moins que ce ne soit cinquante ? En vérité, il s'en fichait. Seuls comptaient Aspen, et son corps brûlant sous ses doigts.

— Tu veux que je continue ? s'enquit-il d'une voix rauque de désir.

— Oh oui, souffla-t-elle en lui offrant son cou.

Il déposa une traînée de baisers brûlants dans sa nuque et la pressa contre la table. Le parfum de sa peau était tellement enivrant qu'il faillit perdre tout contrôle. Dans cette position, il aurait suffi d'une poussée pour la pénétrer. Pourtant, il se retint. Aspen méritait mieux et lui aussi. Il en voulait plus…

L'agrippant par les hanches, il la força à se tourner et l'embrassa. Dieu, qu'il avait envie d'elle ! Aussi impatiente que lui, Aspen se lova plus étroitement contre lui et glissa les mains dans ses cheveux. Un gémissement de plaisir lui échappa.

La barrière de tissu qui les séparait encore lui sembla soudain insupportable. Il se débarrassa de sa chemise et s'en prit à la fermeture de sa robe. Avec des gestes malhabiles, il réussit à défaire les boutons.

— Tu es magnifique, murmura-t-il en lui caressant les seins.

Aspen cria lorsqu'il prit son mamelon gorgé de désir dans sa bouche, et Cruz manqua exploser.

Ç'en était trop. Ils n'allaient jamais arriver jusqu'à la chambre. Il la voulait, maintenant !

Sans perdre une seconde, il la souleva et la fit s'asseoir sur la table.

— Heureusement que tu portes une robe, grogna-t-il en glissant les doigts sous sa culotte.

Aspen se tendit soudain.

— Attends !

Surpris, Cruz se redressa lentement pour observer le visage d'Aspen. Elle semblait fragile, vulnérable…

et effrayée. Aussitôt, il se rappela la façon dont elle avait sursauté quand il l'avait touchée. N'avait-elle donc jamais éprouvé de plaisir en faisant l'amour ?

— Aspen, qu'est-ce qui ne va pas ? demanda-t-il en lui prenant le menton pour la forcer à le regarder dans les yeux.

— Je…, commença-t-elle avant de s'interrompre, visiblement gênée. Je suis désolée, j'aurais dû te prévenir plus tôt. Je crois que j'ai un problème.

Cruz était perplexe. De toute évidence, Aspen était sérieuse. Il l'avait à peine effleurée…

Se méprenant sur son silence, elle le repoussa et tenta de descendre de la table. Malheureusement pour elle, ses pieds se prirent dans sa robe. Il eut à peine le temps de le retenir avant qu'elle tombe en avant.

— Aspen, attends.

— Non, laisse-moi partir, ordonna-t-elle en secouant la tête.

Cruz jura et l'attira contre lui. Elle enfouit sa tête dans son cou comme il lui caressait les cheveux et sa respiration finit par se calmer.

— Qui t'a dit que tu avais un problème ? s'enquit-il en plongeant ses yeux dans les siens.

Aspen baissa la tête et se blottit plus étroitement contre lui.

— Tu n'as aucune raison de te sentir gênée, dit-il avec douceur. C'était Anderson, n'est-ce pas ?

— Certaines femmes ne sont juste pas faites pour ça.

Certaines, oui, mais sûrement pas elle.

— Je suis sûr que c'est vrai, ma belle, mais ce n'est pas ton cas.

Elle le repoussa.

— Tu te trompes. Chaque fois que Chad voulait… On pourrait parler d'autre chose ? le supplia-t-elle.

Malgré lui, Cruz serra les poings. Anderson était vraiment un crétin.

— Est-ce qu'il t'a fait du mal ?

Aspen se mordit la lèvre en évitant son regard.

— Aspen ?

— Bon, tu as gagné, soupira-t-elle. Chad avait bu durant notre nuit de noces. J'étais très nerveuse parce que je savais que j'avais fait une erreur. Je m'en étais déjà aperçue avant le mariage, mais je ne savais pas quoi faire. Chad pouvait se montrer tellement charmant quand il le voulait, ajouta-t-elle avec un sourire triste. Toutes mes amies le trouvaient merveilleux, mais ce soir-là, il était soûl et…

— Il t'a violée.

— Non, se récria-t-elle. C'était ma faute. J'avais peur et il…

— Tu n'as rien à te reprocher, la coupa-t-il en la regardant dans les yeux. Son comportement est impardonnable. Tu n'avais que dix-huit ans, Aspen, tu avais le droit d'être inquiète.

Elle sourit, et il l'enlaça jusqu'à ce qu'elle cesse de trembler.

— Il n'avait pas l'intention de me faire du mal, déclara-t-elle d'un air sérieux.

Tu parles ! Anderson ne perdait rien pour attendre… Il allait voir ce qu'il en coûtait de s'en prendre à Aspen.

— Je me sens mieux, reprit-elle après un instant. Je savais que ça risquait d'arriver. Tu peux me lâcher, ajouta-t-elle.

La lâcher ? Jamais ! Et surtout pas maintenant. Quand elle avait tant besoin de lui.

— Quand je suis arrivé à Ocean Haven, commença-t-il d'une voix hésitante, ma famille me manquait tant que je m'endormais tous les soirs en pleurant. Je me sentais pathétique. Je pensais que je devais m'endurcir, me conduire en homme.

— Oh ! Cruz…, dit-elle en posant la main sur son bras.

Malgré lui, son geste le toucha. S'il lui racontait tout ça, c'était avant tout pour la distraire de ses mauvais souvenirs, mais sa compassion le bouleversait.

— J'étais convaincu que ma mère m'avait abandonné parce qu'elle avait honte de moi.

— C'est faux, affirma Aspen en secouant la tête. Je ne l'ai rencontrée qu'une fois, mais je sais qu'elle t'aime et qu'elle est fière de toi.

— Tu as sans doute raison. Ce qu'Anderson t'a dit est également faux, reprit-il en la prenant par le menton. Tu es une femme magnifique et sensuelle, Aspen. Et j'aimerais te le prouver.

Elle fronça les sourcils.

— Je ne vois pas comment.

— Je te désire, Aspen, déclara-t-il d'un air sérieux. Je veux t'embrasser, te caresser et te faire l'amour pour que tu oublies tout le reste. Es-tu prête à me laisser essayer ?

L'espace d'un instant, elle se contenta de l'observer avec méfiance.

Comment l'en blâmer, du reste ? C'était une chose de lui promettre une nuit inoubliable, une autre de se montrer à la hauteur. C'était la première fois qu'il jouait les preux chevaliers, et il n'avait aucune envie de la décevoir.

Finalement, elle acquiesça.

— Oui.

— Alors, détends-toi et laisse-moi faire. Et si tu te sens mal à l'aise ou tu veux qu'on arrête, ajouta-t-il, tu n'as qu'un mot à dire. D'accord ?

— Tu le ferais, n'est-ce pas ? demanda-t-elle comme si elle peinait encore à le croire.

Oui, Chad Anderson paierait pour ce qu'il lui avait fait. Il y veillerait personnellement…

— Bien sûr, ma belle.

# 9.

Aspen tenta de se détendre comme Cruz l'emportait vers la chambre, en vain. La peur qui lui tordait le ventre refusait obstinément de refluer. Elle frissonna quand il la déposa sur le lit. Les draps étaient si froids, comparés à la chaleur de son torse…

Il s'allongea à son côté, et elle ne put s'empêcher de fermer les yeux.

— Aspen ? s'enquit-il, l'air inquiet.

Oh ! pourquoi fallait-il qu'elle soit aussi nerveuse et empotée ? Elle devait vraiment avoir l'air ridicule avec ses cheveux défaits et sa robe enroulée autour de sa taille !

— Tu veux bien éteindre la lumière ? demanda-t-elle.

— Si c'est ce que tu veux… Mais j'aimerais mieux te regarder.

— Je préférerais que tu évites. Je suis horrible, ajouta-t-elle d'une petite voix.

— Ouvre les yeux, chérie.

— Je suis obligée ?

Cruz éclata de rire, et elle s'exécuta. Etendu ainsi, la tête posée dans le creux de sa main, il semblait détendu. Seule la lueur de désir qui brillait dans son regard prouvait le contraire.

— Tu es très à l'aise, n'est-ce pas ?

— Tu le seras aussi, bientôt, promit-il.

Il commença à lui caresser la joue, ses doigts descendant lentement vers son épaule.

Aspen s'efforçait de rester immobile. C'était difficile de lui faire confiance, mais elle était déterminée à essayer.

— Tu as déjà éprouvé du plaisir en faisant l'amour ? demanda-t-il d'une voix rauque.

Malgré elle, son souffle s'accéléra lorsqu'il effleura ses seins.

— Un peu, répondit-elle en toute honnêteté.

Enfin, presque. Elle ne pouvait quand même pas lui dire la vérité, c'est-à-dire qu'elle n'avait jamais éprouvé le moindre plaisir avec Chad.

— Dans ce cas, tu as beaucoup de choses à apprendre.

Sans perdre une seconde, il déposa une pluie de baisers brûlants dans son cou.

— Tellement de choses…, poursuivit-il en plongeant son regard dans le sien.

Le cœur d'Aspen se mit à battre la chamade. Cruz la regardait comme s'il ne voyait qu'elle, comme s'ils étaient seuls au monde. C'était à la fois terrifiant et merveilleux. Pour la première fois depuis des années, elle se sentait en sécurité… et terriblement excitée. En quelques jours, Cruz avait abattu toutes ses défenses. Il lui avait fait connaître des émotions nouvelles, et elle était prête à en découvrir davantage…

— Fais-moi l'amour, Cruz, murmura-t-elle en plongeant son regard dans le sien.

Sa peur s'envola quand il l'embrassa, aussitôt remplacée par une myriade de sensations toutes plus extraordinaires les unes que les autres. Elle n'arrivait plus à réfléchir. Plus rien n'existait que les mains de Cruz caressant son corps et la délicieuse chaleur qui se répandait au creux de son ventre.

En un instant, il la débarrassa de sa robe et de ses sous-vêtements. Un gémissement lui échappa lorsque les lèvres de Cruz se refermèrent sur sa poitrine.

— Tu veux que je continue ? s'enquit-il, les yeux assombris par le désir.

— Oui ! Mais tu es encore habillé, remarqua-t-elle soudain.

— Plus pour longtemps, la rassura-t-il. Mais pour l'instant je vais m'occuper de toi. Allonge-toi…

Elle tressaillit lorsqu'il posa la main sur ses cuisses, mais il se contenta de la caresser longuement. Puis, il remonta le long de sa jambe tout en prenant son mamelon dans sa bouche.

Aspen soupira. Sa peau semblait anormalement sensible, presque douloureuse. C'était plus qu'elle ne pouvait supporter.

Malgré elle, elle se lova contre lui.

— Sois patiente, ma belle, l'implora-t-il.

— Je ne peux pas, souffla-t-elle en étouffant un cri comme ses doigts s'aventuraient au creux de sa féminité.

Elle voulait plus, elle le voulait, lui !

— Cruz, je t'en prie…

— Tu veux que je te touche ?

— Tu sais bien que oui. Tu n'en as pas envie ? lâcha-t-elle, soudain inquiète.

En guise de réponse, Cruz pressa sa paume contre le cœur de sa féminité.

Aspen manqua défaillir. Il était si imposant… et elle avait tellement envie de le sentir en elle !

— Ne doute jamais de toi, dit-il en plongeant son regard dans le sien. Je m'efforce simplement de prendre mon temps. Je veux être sûr que tu sois prête à m'accueillir. Ecarte les jambes, chérie, ordonna-t-il en lui prenant la main pour la guider entre ses cuisses.

— Oh mon Dieu ! C'est…

— Humide ?

Il lui mordilla l'oreille avant de reprendre :

— Sensuel ? Sexy ?

Il se plaça entre ses jambes.

— Je vais te goûter.

Aspen sursauta.

— Non, Cruz, tu ne peux pas faire ça ! se récria-t-elle.

— Je t'ai promis de te donner du plaisir, Aspen, alors laisse-moi faire.

Légèrement mal à l'aise, elle ferma les yeux.

Certains hommes appréciaient ce genre de choses, mais pas tous. Et si c'était le cas de Cruz ? S'il ne cherchait qu'à la satisfaire ?

Elle s'apprêtait à lui poser la question, mais son souffle se bloqua dans sa gorge comme la langue de Cruz lui infligeait une délicieuse torture. C'était comme si de la lave en fusion coulait dans ses veines, comme si un incendie s'était soudain déclaré dans son corps. Et rien ne semblait pouvoir l'arrêter.

— Tout va bien, chérie. Laisse-toi aller.

Aspen l'entendit à peine. Très vite, la jouissance l'emporta, et elle se tordit de plaisir sur le matelas.

— Ouvre les yeux, mon amour. Comment c'était ? demanda-t-il une fois qu'elle eut recouvré son calme.

Elle lui sourit.

— Je crois que je n'ai jamais ressenti un plaisir aussi intense de toute ma vie.

— Et ça ne fait que commencer, rétorqua-t-il avec arrogance.

Aspen sourit, mais son expression changea quand Cruz ôta son pantalon. Se redressant, il prit un préservatif dans le tiroir de la table de nuit et l'enfila à la hâte.

— Continue à me regarder comme ça, chérie, et je ne suis pas certain de pouvoir me retenir bien longtemps.

A ces mots, Aspen rougit. Elle était incapable de détourner le regard. Il était tellement viril, tellement…

— Tu es si beau, dit-elle.

Incapable de résister, elle le caressa, s'émerveillant de sa douceur et de sa force. Cruz trembla, et elle suspendit son geste. Se pouvait-il qu'elle ait un tel pouvoir sur lui ?

A cette idée, elle ne put s'empêcher de sourire. Cruz prit ses lèvres, puis s'allongea sur elle.

Cette fois, elle ne trembla pas, car elle n'avait plus peur. Elle se sentait puissante et incroyablement féminine. C'était un sentiment à la fois merveilleux… et libérateur.

— Noue les jambes autour de mes reins, ordonna-t-il, la voix rauque de désir.

Elle sentit alors son sexe dur et gonflé contre le sien. Instinctivement, elle l'attira contre elle, mais Cruz sembla soudain hésiter.

Le souvenir de la douleur qu'elle avait ressentie la première fois lui revint aussitôt à la mémoire, et elle se tendit, mais il la rassura.

— Calme-toi, mon amour, murmura-t-il en l'embrassant. Je suis là.

Elle ne put retenir un gémissement lorsqu'il la pénétra. Il était si imposant…

Elle laissa son corps s'ajuster au sien, et une vague de plaisir manqua l'engloutir tout entière lorsqu'il se mit à bouger en elle.

— C'est si bon ! dit-il en la regardant dans les yeux. Tu es tellement étroite que j'ai peur de te faire mal.

— Non, rétorqua-t-elle en se pressant davantage contre lui. C'est merveilleux, tu es merveilleux.

Cruz reprit ses va-et-vient, chaque coup de reins plus rapide que le précédent, tandis qu'Aspen se cambrait contre lui, s'abandonnant totalement. Soudain, Cruz se raidit et il poussa un cri avant de s'effondrer dans ses bras.

Aspen jouit en même temps que lui. Elle ne s'était jamais sentie aussi bien. Un sourire aux lèvres, elle caressa les cheveux de Cruz.

Il avait promis de lui donner du plaisir et il avait tenu parole. Mieux, il lui avait prouvé qu'elle n'avait aucun problème, contrairement à ce que Chad lui avait fait croire. Bien sûr, il lui était arrivé de douter, mais il savait se montrer si raisonnable quand il était sobre qu'il parvenait toujours à la convaincre qu'elle avait tort. En fait, il était une sorte de Dr Jekyll et Mr Hyde : charmant en public, et cruel à l'abri des regards. Son règne de terreur était cependant terminé. Après ce qui s'était passé ce soir, elle était enfin libre…

Quelques heures plus tard, Cruz s'éveilla et ouvrit les tentures à l'aide de la télécommande électronique. Il était encore tôt ; le soleil venait à peine de se lever.

Dérangée par le bruit, Aspen se pelotonna sous les couvertures. Il l'observa un instant. Inutile de le nier, la nuit dernière avait été extraordinaire. La confession d'Aspen l'avait surpris, c'était le moins qu'on puisse dire, mais sa propre réaction l'étonnait tout autant. Du plus loin qu'il s'en souvienne, il n'avait jamais éprouvé autant de plaisir avec une femme. Il lui suffisait d'ailleurs d'y penser pour avoir une érection.

Elle murmura dans son sommeil, et il l'enlaça plus étroitement.

Une nuit, c'est l'accord qu'ils avaient conclu. Ça lui avait semblé suffisant quand il avait signé ce maudit document. Il faut dire qu'à l'époque Aspen lui apparaissait comme une conquête de plus dont il se lasserait vite. Il était tellement déterminé à se venger qu'il avait prévu de raser Ocean Haven depuis le début. A présent, tout avait changé. Comme lui, Aspen avait été victime des mauvaises décisions prises par Charles Carmichael. Elle en avait probablement davantage souffert que lui, car le vieil homme était son grand-père.

Après tout ce qui s'était passé, il ne pouvait pas lui prendre sa propriété. Ocean Haven lui appartenait. C'était son foyer. Heureusement pour elle, son oncle semblait partager son avis. Joe Carmichael n'était pas aussi tordu que son père, mais il était au moins aussi têtu que lui. Malgré l'offre que lui avait faite Lauren, il avait toujours refusé de vendre. C'était aussi bien. Dans une heure, il contacterait l'avocate pour lui faire part de sa décision. Il se retirait, Aspen avait gagné.

Curieusement, cela ne le dérangeait pas de perdre pour une fois. Ricardo allait se moquer de lui quand il apprendrait la nouvelle, mais peu importait. L'essentiel pour l'instant était de se concentrer sur les faits.

Fait numéro un : Aspen souhaiterait sans doute regagner Ocean Haven au plus vite. Fait numéro deux : il était censé se rendre en Chine pour approuver les sites de construction de ses — combien déjà ? — cinquante hôtels dès demain. Fait numéro trois : il n'avait aucune envie d'aller en Chine et encore moins de voir Aspen partir. Fait numéro quatre : il en ignorait la raison, et fait numéro cinq : elle était tout simplement irrésistible, ainsi blottie contre lui. Et enfin : il devait être en train de devenir fou pour s'interroger ainsi.

D'ordinaire, il ne songeait qu'au travail. Il avait été jusqu'à abandonner sa carrière de joueur de polo pour assurer sa réussite professionnelle. Nombre de riches propriétaires avaient proposé de l'engager quand il avait quitté Ocean Haven, mais il avait refusé. Il était hors de question de se retrouver à la merci d'un crétin aux poches bien remplies qui n'aurait pas hésité un seul instant à le renvoyer. A leurs yeux, il n'était qu'un employé facilement remplaçable, un étranger au sein de leur monde parfait. Aussi avait-il sué sang et eau dans l'espoir d'améliorer sa situation et il y était arrivé. Il ne s'était cependant pas arrêté là. Il avait continué — par fierté, disaient certains — jusqu'à amasser une fortune considérable.

Mais était-ce suffisant ? Pour la première fois de son existence, sa vie lui semblait étrangement vide. Malgré ses efforts, les membres de sa famille gardaient leurs distances, comme s'ils avaient peur de lui. Il en avait assez de se sentir exclu ! Mais Aspen avait sans doute raison. S'il se montrait plus accessible, peut-être en feraient-ils autant avec lui.

Nom d'un chien ! Voilà qu'il recommençait…

Fermant les yeux, il respira le parfum d'Aspen. Elle était si belle, abandonnée ainsi entre ses bras ! Il lui caressa doucement les cheveux, et elle soupira. Il se la représenta soudain nue, ses jambes fuselées lui encerclant la taille. Son corps réagit aussitôt, et il dut retenir un soupir. Ce n'était pas une bonne idée. Aspen devait être épuisée après la nuit dernière. Sans compter que s'il se laissait aller il risquait de ne pas pouvoir s'arrêter. Il avait pourtant une journée chargée : des réunions pour finaliser les négociations de la veille et les matchs de polo qui débutaient un peu avant midi. Non, vraiment, il n'avait pas une minute à perdre…

Lentement, pour ne pas la réveiller, il s'écarta et aurait atteint le bord du lit si Aspen ne s'était pas soudain lovée contre lui. Elle posa la main sur son torse, et il retint son souffle lorsqu'elle s'aventura plus bas. Immobile, il n'osait pas faire un geste.

— Je suis désolée, dit-elle en se redressant.

Elle était magnifique au réveil. Ses joues étaient roses et ses lèvres délicieusement gonflées par ses baisers. Malgré lui, son regard fut attiré par ses seins à la rondeur parfaite. Il ne rêvait rien tant que de les goûter de nouveau !

Mal à l'aise, Aspen se couvrit aussitôt la poitrine. Comment l'en blâmer, du reste ? Sa réaction était compréhensible, vu la façon dont son ex-mari l'avait traitée.

— Bonjour, dit-il d'une voix douce.

— Bonjour…

Un silence s'installa entre eux, qui menaçait de s'éterniser. Cruz était perdu. C'était la première fois qu'il se retrouvait dans une telle situation. Si ses relations précédentes s'étaient achevées rapidement, il n'avait pas l'habitude des aventures sans lendemain. C'étaient pourtant les termes exacts de son accord avec Aspen.

— C'est…

— Bizarre ?

— Oui, mais la nuit dernière était…

— Fantastique.

— Tu n'es pas obligé de mentir, affirma-t-elle avec une grimace. C'était merveilleux pour moi, mais je ne sais pas si tu… Laisse tomber, ajouta-t-elle en baissant les yeux.

Furieux, Cruz serra les poings. Anderson était

vraiment un beau salaud ! Il était inutile de chercher à la convaincre qu'il était sincère, car Aspen refuserait sans doute de l'écouter…

— Reste, dit-il plutôt.

— Pourquoi ? demanda-t-elle, surprise.

Elle n'était pas la seule… Il n'avait sûrement pas prévu de l'inviter à passer la journée à l'hôtel. Cela dit, pourquoi pas, après tout ? Aspen avait toujours aimé le polo. Elle apprécierait sans aucun doute d'assister au tournoi.

— Je croyais que tu avais du travail.

— C'est le cas, mais j'ai pensé que tu souhaiterais peut-être voir le match.

— Je ne veux pas te compliquer les choses.

Oh ! pourquoi hésitait-elle autant, mais surtout pourquoi son manque d'enthousiasme l'irritait-il à ce point ? Il aurait dû, au contraire, se réjouir qu'elle cherche à mettre de la distance entre eux… notamment après ce qu'il lui avait confié la veille. C'était la première fois qu'il s'ouvrait ainsi à quelqu'un. D'ordinaire, il détestait parler de lui, mais avec Aspen c'était différent.

— Je ne vois pas en quoi ça compliquerait les choses.

— Notre accord prévoit que…

— Oublie ce maudit contrat ! ordonna-t-il en se levant. Reste parce que tu en as envie, parce que le soleil brille et parce que tu ne veux pas manquer un match d'anthologie. Reste parce que tu as travaillé dur et que tu mérites de faire une pause, conclut-il.

— Si tu présentes les choses de cette façon…

Elle était tellement belle qu'il faillit l'embrasser, mais son portable se mit soudain à sonner.

— Qu'est-ce que tu décides ? s'enquit-il en le prenant sur la table de chevet.

— D'accord, je reste.

***

Depuis le balcon, Aspen observait le terrain de polo. Des employés de Cruz achevaient les derniers préparatifs pour le tournoi. Malgré l'excitation générale, elle se sentait étrangement déprimée.

Quand Cruz lui avait demandé de rester, elle s'était imaginé qu'il passerait la journée avec elle. Comment avait-elle pu se montrer aussi stupide ? De toute évidence, il avait mieux à faire. Il l'avait d'ailleurs reconnu lui-même. Pourtant, elle avait été incapable de refuser… parce que la nuit dernière avait tout changé. Cruz lui avait fait l'amour. Il s'était montré si tendre, si attentionné et passionné qu'elle ne rêvait que de recommencer. Et c'était bien là le problème…

« Oublie ce maudit contrat ! » avait-il ordonné. C'est exactement ce qu'elle avait fait, la nuit dernière. Cruz lui avait fait découvrir des sensations si extraordinaires que le reste du monde avait semblé disparaître. Plus rien n'avait existé que sa bouche et ses mains sur son corps. A force de caresses et de douceur, il avait réussi à lui prouver qu'elle pouvait donner et ressentir du plaisir.

A ce souvenir, elle sourit avant de froncer les sourcils.

Cruz l'avait délivrée de ses démons, mais il cherchait également à lui voler son foyer. En fin de compte, il n'était pas si différent de Chad. Lui aussi jouait un double jeu, et il était temps qu'elle ouvre les yeux. Non, elle ne pouvait pas rester ici, pas dans ces conditions. Sans perdre une seconde, elle retourna dans la chambre pour faire son sac.

***

Cruz lança un regard irrité à son assistante. C'était déjà assez difficile de se concentrer sans avoir à subir toutes ces interruptions !

— Qu'y a-t-il, Maria ?

Il fronça les sourcils en reconnaissant la voix d'Aspen : « Ce n'est pas grave. Ne le dérangez pas pour… ».

— *Señorita* Carmichael souhaiterait vous parler.

— Faites-la entrer.

Aspen se présenta à la porte… avec une valise.

— Qu'est-ce qui se passe ? demanda-t-il d'un ton sec.

— Tu as l'air occupé, dit-elle en découvrant ses employés, installés autour de la table. Ça peut attendre.

— Non.

Pas question de la laisser le quitter aussi facilement !

— Il y a un problème ?

— Non, je suis venue te dire au revoir. Je voulais juste te prévenir.

— Je croyais que tu avais décidé de rester ?

— J'ai rempli ma part du marché et…

— Je t'ai dit d'oublier ce maudit contrat ! rétorqua-t-il, énervé. Ça n'a plus aucune importance à présent. Je n'ai plus aucune intention d'acheter Ocean Haven. La propriété est à toi.

Une myriade d'émotions se succédèrent sur son visage, exactement comme le jour où il lui avait annoncé que le consortium lui appartenait. L'incrédulité, le choc et, enfin, la joie…

Il y a trois jours, abandonner ainsi l'objectif qu'il poursuivait depuis des années aurait été impossible. Tout avait changé depuis qu'il avait découvert la vérité et surtout depuis qu'il avait fait l'amour avec Aspen. Non, vraiment, il ne pouvait pas la priver de son foyer, pas après l'avoir sentie trembler entre ses bras. Pour une raison inconnue, la perspective de la blesser lui était tout simplement insupportable. C'était la première fois qu'il ressentait ce besoin viscéral de protéger une femme. C'était un sentiment à la fois nouveau… et quelque peu déconcertant.

La voix de Cruz la tira de ses pensées.

— C'est vrai ? s'enquit-elle en faisant un pas hésitant dans sa direction. Tu es sérieux, Ocean Haven m'appartient vraiment ?

— Oui, répondit-il d'une voix rauque de désir.

Comment Aspen faisait-elle pour avoir un tel effet sur lui ? Il ne pouvait pas lui parler sans avoir envie de la déshabiller.

— Oh ! Cruz…

Visiblement touchée, elle éclata de rire avant de lui sauter au cou.

— Merci, murmura-t-elle. Tu n'imagines pas ce que ça représente pour moi.

Elle l'embrassa, et toute pensée cohérente déserta son esprit. Il n'y avait plus que les lèvres d'Aspen, si chaudes contre les siennes, et ses formes parfaites sous ses doigts.

— Cruz, nous ne sommes pas seuls, dit-elle soudain contre sa bouche. Tout le monde nous regarde.

A ces mots, il s'écarta.

Ses employés le dévisageaient avec des yeux ronds. Cruz retint un juron. Décidément, Aspen avait le pouvoir de lui faire perdre la tête…

— Excusez-moi, commença-t-il à leur intention, mais je vais devoir reporter cette réunion… une nouvelle fois.

Dès qu'ils furent sortis, il prit Aspen dans ses bras et la déposa sur la table de réunion. Sans perdre une seconde, il déboutonna son chemisier et commença à lui caresser les seins.

— La porte n'est pas verrouillée, le prévint-elle entre deux soupirs de plaisir.

— Ils n'entreront pas… du moins s'ils tiennent à leur boulot.

— Cruz, c'est…

— De la folie, la coupa-t-il en lui ôtant son pantalon. Tu devrais porter des jupes plus souvent…

Le rire d'Aspen se bloqua dans sa gorge lorsqu'il glissa la main entre ses cuisses. Elle était déjà prête à l'accueillir.

— Je n'ai jamais désiré une femme aussi fort de toute ma vie.

Aspen trembla lorsque sa langue vint remplacer ses doigts. C'était plus qu'il ne pouvait supporter. S'il ne la prenait pas maintenant, il allait devenir fou.

— Attends-moi, ma chérie. Je veux te sentir jouir quand je suis en toi.

Sans perdre une seconde, il enfila un préservatif et, d'un geste sûr, la posséda.

Les jambes nouées autour de lui, elle souffla :

— Ne t'arrête pas…

Il accéléra la cadence et entreprit de la caresser pour lui donner davantage de plaisir. Aspen se cambra soudain contre lui et, bientôt, laissa la jouissance les emporter tous les deux.

# 10.

— Ça te manque ?
— De quoi parles-tu ?
— Du polo.
— Qu'est-ce qui te fait dire ça ?
— L'expression de ton visage, peut-être, répondit-elle avec un sourire. Tu as l'air nostalgique.

Appuyés contre la barrière entourant les enclos, ils regardaient les palefreniers et les cavaliers régler les derniers détails avant le match.

— Je tiens simplement à m'assurer que les chevaux sont en parfaite santé.

Peu convaincue, Aspen pencha la tête pour étudier son profil.

— Pourquoi as-tu arrêté ? demanda-t-elle, curieuse.
— Pour l'argent.
— Je vois. Tu pourrais m'en dire plus ? l'interrogea-t-elle comme il restait silencieux.
— J'étais loin d'être riche quand j'ai quitté Ocean Haven, et je savais que le polo ne me permettrait pas d'obtenir ce que je voulais.

Aspen acquiesça.

— Je comprends. L'argent représentait une forme de sécurité pour toi. C'est exactement ce que je ressens vis-à-vis d'Ocean Haven. C'est dommage, cela dit, ajouta-t-elle avec un sourire, car te regarder jouer au polo était une expérience inoubliable.

Cruz l'observa un instant avant de déclarer :

— Tout cela appartient au passé. Ça me manque, tu as raison, mais ça n'a aucune importance. Ma vie me satisfait comme elle est. Au fait, reprit-il d'un air plus sérieux, Anderson est ici. Il n'aurait pas dû être là, mais il s'est blessé en Argentine le mois dernier. Rassure-toi, je lui ai demandé de te laisser tranquille…

Aspen se figea. Ainsi elle ne s'était pas trompée. C'était bel et bien Chad qu'elle avait aperçu dans le hall de l'hôtel. Elle n'aurait qu'à s'arranger pour l'éviter… Cela dit, la réaction de Cruz la gênait. Il se sentait probablement obligé de la protéger après ce qu'elle lui avait raconté.

— Je suis tout à fait capable de me débrouiller toute seule. Tu n'as pas à t'inquiéter pour moi.

Il secoua la tête et lui caressa la joue.

— Il faut bien que quelqu'un le fasse. Tu aurais dû prendre un chapeau, chérie, dit-il en ôtant sa casquette pour la placer sur sa tête. Je reviens dans une minute.

Aspen le regarda s'éloigner. C'était difficile de lui reprocher de se montrer aussi protecteur, surtout après ce qui s'était passé dans la salle de réunion. Il fallait bien le reconnaître, elle ne s'était pas sentie aussi bien depuis des années. Pour la première fois depuis longtemps, elle n'avait pas à se préoccuper des factures qui s'amoncelaient ou du travail qui l'attendait. Elle était libre…

C'était un sentiment unique, presque aussi merveilleux que de sentir Cruz bouger en elle. Presque… A ce souvenir, elle sentit une douce chaleur envahir son ventre. Le désir qu'il éveillait en elle semblait insatiable.

La sonnerie de son portable la tira soudain de sa

rêverie. C'était peut-être son oncle Joe. Plus tôt dans la journée, elle lui avait laissé un message l'informant qu'elle avait rassemblé les fonds nécessaires pour acheter Ocean Haven. Elle aurait préféré lui annoncer la bonne nouvelle en personne. Malheureusement, il lui était impossible de se rendre en Angleterre pour le moment.

Elle vérifia son téléphone et ne put s'empêcher de faire la grimace. Ce n'était que Donny la prévenant que Matty, l'un des adolescents qui travaillaient parfois pour eux, le remplaçait pour la journée. Il avait sûrement prévu de passer du temps avec sa famille.

*Une famille…* Comme il devait être agréable de ne pas être seul !

— Attrape ! dit soudain Cruz.

Elle eut à peine le temps d'écarter les bras.

— Qu'est-ce que c'est que ça ? s'enquit-elle en avisant les vêtements qu'il lui avait lancés.

— Tu es mon nouveau palefrenier. Tu as besoin de combien de temps pour te changer ?

— Cinq minutes.

Cruz acquiesça.

— Tu vois Luis, là-bas ? demanda-t-il en montrant le terrain.

— Oui.

— Retrouve-moi là dans un instant.

— Tu vas vraiment jouer ?

— Tu voulais vivre une expérience inoubliable, n'est-ce pas ? l'interrogea-t-il avec un sourire coquin.

Aspen ne put s'empêcher de lui rendre son sourire. Sa réaction était ridicule, elle le savait, mais elle ne pouvait pas s'en empêcher. Il la rendait heureuse, et elle l'aimait.

*Elle l'aimait ?* Non, c'était impossible.

— Une minute, la prévint-il.

Dieu du ciel ! Qu'allait-elle faire ?

Il était amoureux. Cette idée s'imposa soudain à son esprit, et il manqua tomber de cheval. Heureusement, il parvint à se redresser de justesse.

C'était ridicule. Il ne pouvait pas être tombé amoureux d'Aspen, pas aussi rapidement. Il n'était pas prêt. Sans compter que ça ne faisait pas partie de son plan.

Malgré lui, son regard fut attiré par la silhouette de la jeune femme. Elle portait les couleurs de son équipe, et ses longs cheveux blonds s'échappaient de sa casquette en mèches soyeuses.

Inutile de le nier, elle était tout simplement irrésistible, mais ça ne voulait pas dire qu'il l'aimait. Non, c'était l'excitation qui lui montait à la tête. Il n'avait pas joué depuis si longtemps…

La cloche annonçant la fin du match retentit, et Cruz se dirigea vers Aspen d'un pas hésitant.

— Tu es un vrai frimeur, dit-elle avec un sourire. Je suppose que je dois te féliciter pour ta victoire…

Incapable de répondre, il se contenta de la dévisager. Aspen était belle, intelligente et drôle, en un mot, parfaite. Il l'aimait et il l'avait probablement toujours aimée.

Les autres joueurs vinrent le féliciter pour sa performance, mais il les ignora. Il n'y avait qu'Aspen.

Il aurait voulu lui déclarer sa flamme sur-le-champ, mais il se retint. Il valait mieux attendre de se retrouver seul avec elle, autour d'un délicieux dîner par exemple. Ce n'est pas qu'il doutait de ses sentiments à son égard.

Il était évident qu'elle ressentait la même chose. Cela se voyait dans ses yeux.

— Ce dernier but était brillant, affirma-t-elle en prenant les rênes de Bandit.

— C'est également mon avis.

Il ôta son casque, et Aspen lui passa la main dans les cheveux.

— Tu as besoin d'une bonne coupe.

— Il faut que je te dise quelque chose, dit-il en plongeant son regard dans le sien.

— Quoi ?

— Pas ici, rétorqua-t-il en secouant la tête. J'ai promis à Ricardo que je discuterais avec les Chinois. Apparemment, je les ai quelque peu négligés aujourd'hui. Tu veux bien me retrouver dans ma chambre dans une demi-heure ?

— Ça a l'air sérieux…

— Ça l'est. Laisse-moi ramener Bandit aux écuries, offrit-il en remontant en selle. Luis s'occupera de lui. Ce que j'ai à te dire est très important, ajouta-t-il en lui donnant un baiser.

Pensive, Aspen le regarda s'éloigner en direction des écuries.

Elle sursauta comme une voix retentit dans son dos.

— Comme c'est touchant !

*Non ! C'était lui…*

L'espace d'un instant, elle fut incapable de bouger. C'était comme si son corps ne lui obéissait plus. Lentement, elle se tourna pour lui faire face.

— Chad…

— Le seul et l'unique, chérie.

# 11.

Aspen ferma un instant les yeux. C'était peut-être un effet de son imagination. Avec un peu de chance, il aurait disparu quand elle les ouvrirait… mais non. Il était toujours là.

— Que t'est-il arrivé ? s'enquit-elle en découvrant son visage.

Il se passa la main sur la joue.

— J'ai croisé ton nouveau petit ami. Il ne t'a rien dit ?

Bien sûr que si, mais Cruz avait oublié de préciser qu'il l'avait frappé.

A cette idée, elle faillit sourire. Elle condamnait la violence, mais le fait que Cruz soit prêt à se battre pour elle avait quelque chose d'étrangement réconfortant. C'était la preuve qu'elle comptait pour lui.

— Est-ce que ça va ? demanda-t-elle en reprenant son sérieux.

— Comme si tu t'inquiétais pour moi !

— Bien sûr que je m'inquiète pour toi.

— Je ne pensais pas te croiser ici, affirma-t-il comme si elle n'avait rien dit.

— J'avais une affaire à régler.

— Le petit palefrenier a fait du chemin, remarqua-t-il d'un ton narquois en montrant l'hôtel du regard.

Mal à l'aise, Aspen chercha à apercevoir Cruz. Où

était-il donc passé ? Pourquoi fallait-il qu'il disparaisse juste au moment où elle avait besoin de lui ?

Elle envisagea un instant de partir à sa recherche, mais renonça. Elle n'était plus la jeune fille naïve d'autrefois. La situation avait changé. Elle n'avait plus peur de Chad et n'avait besoin de personne — pas même de Cruz — pour se défendre.

— Qu'est-ce que tu veux, Chad ? demanda-t-elle d'une voix forte.

— Je voulais simplement te saluer.

— Tu l'as fait. Maintenant, si tu veux bien m'excuser, j'ai…

— C'est tout ? la coupa-t-il. Tu n'as rien à me dire ?

— Que veux-tu que je te dise ? Ça fait des années qu'on ne s'est pas vus. Et c'est aussi bien comme ça.

— Et si je ne suis pas d'accord avec toi ?

Aspen se contenta de l'observer en plissant les yeux. Il offrait l'image même du parfait gentleman, mais elle n'était pas dupe. Ce n'était qu'un mensonge, une illusion parfaitement entretenue… comme sa coupe de cheveux. Il lui avait sans doute fallu des heures pour obtenir cet effet décoiffé…

— Cruz t'a prévenu de ne pas m'approcher, dit-elle enfin.

Au diable sa fierté ! Elle en avait vraiment assez de lui…

Chad grimaça.

— Ton nouvel amoureux aime à penser qu'il peut donner des ordres à tout le monde, mais il se trompe. Dis-moi, Assie, il tente aussi de te contrôler ?

Aspen serra les lèvres. Chad ne cherchait qu'à la blesser, et il était hors de question de le laisser faire.

— Au revoir, Chad.

Elle tourna les talons sans un regard en arrière.

— Aspen, attends. Je n'avais pas l'intention de te mettre en colère, affirma-t-il en la rattrapant.

— Vraiment ?

— En fait, je voulais m'excuser.

Elle s'arrêta.

— Pourquoi ?

— Pour mon comportement durant notre mariage. Je traversais une mauvaise passe et…

— Arrête, Chad.

Ce n'était pas la première fois qu'il lui présentait des excuses. Elle n'allait sûrement pas tomber dans le panneau. Non, elle avait déjà assez donné durant leur mariage.

— Ça n'a plus aucune importance, reprit-elle.

C'était vrai, Cruz y avait veillé. Non, il n'avait rien de commun avec Chad. Il était intelligent, tendre et incroyablement sensuel. Il pouvait aussi se montrer possessif, mais ça ne la gênait pas, au contraire. Avec lui, elle se sentait en sécurité. Il la rendait heureuse, et elle l'aimait. Peut-être trouverait-elle même le courage de lui avouer ses sentiments…

Mais pour l'heure il était temps de se débarrasser de son ex-mari.

— Je suis navrée, Chad, mais je n'ai aucune envie de te voir ou de discuter avec toi. Rien de ce que tu diras ne pourra changer ça.

— On ne pourrait pas essayer d'oublier le passé ? s'enquit-il avec espoir. Je veux simplement que nous soyons amis, Aspen.

— Nous ne pourrons jamais devenir amis, Chad.

— A cause de Rodriguez ? ricana-t-il. Il te trouvera vite une remplaçante. Il n'y a que ses chevaux qui l'intéressent.

Elle aurait dû s'y attendre. Chad était incapable de

changer, mais ce n'était pas grave. Il n'avait plus aucun pouvoir sur elle, à présent.

— C'est sérieux, entre vous ? demanda-t-il soudain.

— Ça ne te regarde pas.

— Tu es amoureuse de lui. Tu l'as toujours été, ajouta-t-il avec une grimace.

— C'est faux ! Je t'aimais, du moins c'est ce que je croyais.

— Mais ce n'était qu'un mensonge, n'est-ce pas ? Je le savais, éructa-t-il. C'est pour ça que j'ai prévenu ton grand-père.

Aspen fronça les sourcils.

— C'est toi qui l'as envoyé aux écuries ? s'enquit-elle, incrédule.

— Bien sûr, ton petit manège ne m'avait pas échappé. Je me suis toujours demandé si tu avais couché avec Cruz, poursuivit-il. Ton grand-père ne voulait rien dire.

Aspen eut la nausée. Comment Chad avait-il osé aborder un sujet aussi intime avec son grand-père ? Et, surtout, comment osait-il lui poser la question ?

— Pourquoi détestes-tu Cruz à ce point ? voulut-elle savoir.

Chad haussa les épaules.

— Rodriguez n'était qu'un connard arrogant. Il m'a toujours sous-estimé… sauf en ce qui te concernait.

— Et moi qui croyais que c'était Ocean Haven qui t'intéressait !

Chad secoua la tête.

— Tu te trompais. C'est Cruz qui voulait la propriété, et on dirait qu'il a gagné.

A ces mots, le cœur d'Aspen se serra et elle n'eut plus qu'une envie : partir au plus vite.

— Qu'est-ce que tu veux dire ?

Visiblement ravi de sa réaction, Chad reprit :

— Il a acheté Ocean Haven. Ne me dis pas que tu n'étais pas au courant ? ajouta-t-il avec un sourire.

Aspen s'efforçait de rester calme. Chad mentait sûrement, il ne cherchait qu'à la blesser. Pourtant, elle ne pouvait s'empêcher de le croire.

— Qui t'a dit ça ?

— Mon père. Il avait prévu de faire une offre à la dernière minute.

— Il se trompe.

— Il a précisé que Rodriguez avait offert le double du prix, continua-t-il comme si elle n'avait rien dit.

*Le double ?*

— Il se trompe, répéta-t-elle avec obstination. Excuse-moi, il faut que j'y aille…

Il lui agrippa le bras avant qu'elle ait le temps de s'éloigner.

— Il n'en vaut pas la peine, Aspen. Tu es vraiment stupide de croire qu'il tient à toi.

— Ça ne te regarde pas, s'écria-t-elle, soudain furieuse.

Surpris, Chad la relâcha.

— Tu as changé, remarqua-t-il après un instant.

— C'est ce qu'on m'a dit.

Sauf que c'était un mensonge. Parce que si Cruz avait réellement acheté Ocean Haven, elle était tombée dans le piège qu'elle s'était juré d'éviter. Une fois de plus, elle aimait un homme qui ne cherchait qu'à profiter d'elle.

Bien sûr, il était possible que Chad ait menti. Il ne voulait peut-être que semer le trouble entre Cruz et elle. Cela dit, il ignorait tout de la teneur de leur accord. Il ne pouvait pas savoir que Cruz lui avait promis de se retirer. Il n'y avait qu'une façon de le savoir. Sans perdre une seconde, elle courut jusqu'à l'hôtel. Elle devait lui parler.

*
* *

Lorsque les portes de l'ascenseur s'ouvrirent, Aspen tomba nez à nez avec une magnifique jeune femme. L'espace d'un instant, elle crut qu'elle s'était trompée de suite.

— Excusez-moi, commença-t-elle d'un ton hésitant, je cherche Cruz.

— Il est sous la douche.

— Vous êtes ? lâcha-t-elle en tentant de se contrôler.

Elle n'avait aucune raison d'être jalouse, voyons.

— Lauren Burnside, répondit celle-ci en lui tendant la main. Je suis son avocate. Je suppose que vous êtes Aspen Carmichael ?

— Vous êtes là pour la vente d'Ocean Haven ? s'exclama-t-elle, ignorant délibérément sa question.

— Il vaudrait mieux que vous discutiez de cela avec Cruz.

Aspen prit une profonde inspiration pour se calmer. Pour une raison inconnue, cette femme lui tapait sur les nerfs. Elle était bien trop jolie et, surtout, elle semblait connaître Cruz intimement. L'imaginer dans les bras d'une autre lui était insupportable. Pourquoi avait-il fallu qu'elle tombe amoureuse de lui ?

Les mots de Chad lui revinrent soudain à la mémoire : « Il n'y a que ses chevaux qui l'intéressent. » Et s'il avait raison ?

La voix de Cruz la tira de ses pensées.

— Lauren, Aspen !

Il entra dans la pièce, et son cœur se mit aussitôt à battre la chamade. Il était si beau dans son T-shirt blanc qui mettait son torse musclé en valeur.

Il lui adressa un sourire, mais elle se détourna.

— Vous avez les contrats ? demanda-t-il à l'avocate.

— Ils sont ici.

— Tu finalises la vente de ma propriété ? s'enquit-elle d'une voix forte.

Il ne fallait surtout pas qu'il sache à quel point il la faisait souffrir, à quel point elle l'aimait…

Cruz plissa les yeux, et elle manqua suffoquer.

Ainsi, s'était vrai !

— Quand comptais-tu me le dire ?

Cruz avait visiblement compris qu'elle était bouleversée, car il se tourna vers Lauren.

— Vous voulez bien nous laisser ?

— Bien sûr. Les contrats sont sur la table.

Elle sortit non sans lancer un dernier regard brûlant à Cruz.

Aspen pinça les lèvres.

— Eh bien ?

— Je comptais te faire la surprise pendant le dîner, dit-il enfin.

— Une surprise ? répéta-t-elle, incrédule. Tu n'es qu'un salaud !

— Aspen…

— Non ! le coupa-t-elle. Ne dis rien, je refuse d'en entendre davantage. Je te hais, conclut-elle en lui tournant le dos.

Cruz la rejoignit en un instant.

— Laisse-moi t'expliquer…

— Non, dit-elle en lui martelant le torse avec ses poings. Tu m'as piégée. Tu m'as dit que tu n'allais pas acheter Ocean Haven, mais ce n'était qu'un mensonge.

— Arrête ça tout de suite, Aspen !

Il l'attrapa par les poignets, mais elle se libéra et le gifla.

— Nom d'un chien, ça fait mal. Ecoute-moi, ajouta-t-il en plongeant son regard dans le sien, j'ai laissé un message à Lauren, mais il était trop tard.

— Lâche-moi, ordonna-t-elle d'une voix blanche.
— C'est la vérité, insista-t-il.
— Ça n'a aucune importance.
Pourquoi avait-elle si froid, tout à coup ?
— Bien sûr que si. Laisse-moi te montrer quelque chose, demanda-t-il en récupérant les papiers sur la table.
— Qu'est-ce que c'est ?
— Dès que j'ai appris que ton oncle avait accepté mon offre, j'ai demandé à Lauren de mettre l'acte de propriété à ton nom.
— Quoi ?
— Je comptais te l'annoncer pendant le dîner, mais…
— Tu veux dire que notre accord est toujours d'actualité, l'interrompit-elle.
— Non ! La propriété t'appartient, expliqua-t-il comme elle le regardait d'un air méfiant. Je te la donne.
— Tu veux dire que tu me prêtes l'argent pour l'acheter ?
— Non, je te la donne.
— Pourquoi ferais-tu une chose pareille ?
— C'est une garantie, déclara-t-il.
— Qu'est-ce que tu veux dire ?
— Ça t'évitera de mettre la clé sous la porte d'ici à la fin de l'année.
— Tu racontes n'importe quoi. Je sais ce que je fais, ajouta-t-elle comme il secouait la tête.
— Tu n'arriveras jamais à rembourser tes dettes tout en maintenant les activités d'Ocean Haven.
— Tu as donc décidé de me donner le haras ?
— Ce n'est qu'une propriété, dit-il en haussant les épaules.
Non, c'était bien plus que ça. Comment pouvait-il être aussi aveugle ?

— Je ne peux pas accepter, pas de cette façon, affirma-t-elle en redressant le menton en un geste de défi.

— Pourquoi te montres-tu aussi têtue ?

Elle l'ignorait. Enfin, pas tout à fait. Pendant des années, elle s'était efforcée d'obéir à son grand-père et à son ex-mari dans l'espoir qu'ils lui témoigneraient enfin de l'affection et du respect. En vain. A leurs yeux, elle n'était qu'une idiote incompétente. Elle avait besoin de leur prouver, de se prouver qu'ils se trompaient…

— Je ne peux pas accepter, répéta-t-elle en croisant les bras.

— Nom d'un chien, Aspen ! Qu'est-ce que tu veux, à la fin ? demanda-t-il en se passant la main dans les cheveux.

— Je veux faire les choses à ma façon.

— Eh bien, vas-y ! Mais je refuse que tu me rembourses.

— Tu devrais comprendre, pourtant, dit-elle avec un soupir de frustration. Tu m'as dit que tu aurais voulu que ta mère te fasse confiance quand tu étais plus jeune.

— Ça n'a rien à voir.

— Bien sûr que si !

— Ne joue pas les idiotes, Aspen.

Soudain furieuse, elle plongea son regard dans le sien.

— Ne m'insulte pas ! J'ai déjà laissé un homme me traiter de la sorte. Je refuse que ça recommence.

— Je suis désolé, Aspen. Ce n'est pas ce que je voulais dire.

Lui tournant le dos, il ajouta :

— Je t'aime.

Elle se figea aussitôt. C'était impossible, il ne pouvait pas être sérieux.

— Tu mens, rétorqua-t-elle d'une voix tremblante.

Cruz jura.

— J'ai dépensé des millions de dollars pour acheter une propriété que je vais te donner. Si ce n'est pas de l'amour, qu'est-ce que c'est ?

— De la folie.

— Tu n'as pas tout à fait tort, reconnut-il avec un sourire, mais ça ne veut pas dire que…

— Qu'est-ce que tu comptes m'offrir pour mon anniversaire ? demanda-t-elle soudain.

Visiblement surpris du changement de sujet, Cruz fronça les sourcils.

— Ce n'est pas avant deux mois.

— Tu n'en as aucune idée, n'est-ce pas ?

— C'est grave ?

En un sens, oui, parce que s'il l'aimait vraiment il saurait lui faire plaisir. Il ne se contenterait pas de lui donner une enveloppe pleine de billets.

— C'est un test ? s'enquit-il en plissant les yeux.

— Et si c'en était un ?

— Ton attitude est ridicule. Je suis prêt à te donner tout ce que tu veux. La plupart des femmes m'auraient déjà sauté au cou pour me remercier.

A ces mots, elle sentit son cœur se serrer. Cruz ne comprenait visiblement pas ce qu'il lui demandait. Si elle acceptait son offre malgré son besoin de faire ses preuves et de prendre son indépendance, elle se retrouverait vite dans la même situation qu'autrefois. Une fois de plus, elle serait à la merci d'un homme qui aurait tout pouvoir sur elle. Sauf que cette fois ce serait pire, et elle ne pouvait pas vivre ainsi. C'était impossible…

— Je déteste ce genre de petits jeux mesquins et je n'ai aucune intention d'y jouer, reprit-il d'un ton sec.

— Ce n'est pas un jeu, murmura-t-elle.

Redressant la tête, elle ajouta :

— J'espère que tu ne manqueras jamais d'argent,

Cruz. Dieu sait ce que tu ferais si ça devait t'arriver. Au revoir, conclut-elle en rejoignant l'ascenseur.

Par chance, il arriva au moment où elle pressait le bouton d'appel. Ricardo sortit de la cabine en souriant, mais elle l'ignora.

Comme les portes se refermaient, il se tourna vers son frère.

— Il y a un problème ?

— Pas vraiment, si ce n'est que je me suis fait avoir en beauté… De nouveau…

# 12.

Une semaine plus tard, Cruz disputait une partie de squash particulièrement féroce avec son frère. Il était épuisé, mais satisfait. C'était tout à fait ce dont il avait besoin pour penser à autre chose.

Son portable vibra soudain. Il avait un message… de Lauren Burnside. Evidemment ! Malgré lui, il ne put s'empêcher d'être déçu. Sa réaction était ridicule. Aspen l'avait repoussé, elle n'allait pas l'appeler pour lui dire qu'il lui manquait…

— Elle m'a envoyé un texto.

— De qui tu parles ?

— De mon avocate.

Ces derniers jours, celle-ci s'était montrée plus entreprenante. Il aurait probablement dû l'inviter à dîner, mais il n'avait pu s'y résoudre.

— Crétin ! murmura-t-il pour lui-même.

— Tu marmonnes, fit remarquer Ricardo.

Il avait raison. *Nom d'un chien !* Pourquoi n'arrivait-il pas à oublier Aspen ? Inutile de le nier, il avait passé une nuit fantastique avec elle, mais il était temps de tourner la page. Il avait cru l'aimer, mais il se trompait. Ses sentiments avaient disparu en une semaine. Non, vraiment, elle ne représentait plus rien pour lui.

Secouant la tête pour s'éclaircir les idées, il parcourut le message de Lauren.

— Quelle idiote !

— Elle m'a semblé plutôt intelligente quand je l'ai vue.

— Je parle d'Aspen, pas de Lauren.

— Ah…

— Ferme la bouche, frangin, ordonna-t-il d'un air renfrogné.

Ricardo se contenta de sourire.

— Dis-moi plutôt ce qu'elle a fait, cette fois.

— Elle a mis l'acte de propriété d'Ocean Haven à mon nom.

— C'est bien ce que tu voulais, non ?

— Non ! Je ne veux plus rien avoir à faire avec cette fichue propriété, expliqua-t-il comme Ricardo haussait les sourcils.

Excédé, il composa le numéro de sa secrétaire.

— Maria, annulez mes rendez-vous et faites préparer le jet.

— Je croyais que tu ne voulais rien avoir à faire avec Ocean Haven.

— C'est le cas, mais j'ai une dernière chose à régler.

— Tu es sûr que c'est une bonne idée après ce qui s'est passé ?

Cruz récupéra son sac et glissa sa raquette à l'intérieur.

— J'ai laissé mes sentiments personnels influencer ma décision. Je ne commettrai plus la même erreur, conclut-il en quittant la salle.

Aspen se sentait merveilleusement bien. Elle avait presque fini sa journée. Il ne lui restait plus qu'à panser Delta. A présent que la saison de polo était terminée, la pression était quelque peu retombée. Bien sûr, les rentrées financières allaient diminuer pendant quelques mois, mais ce n'était pas grave. Ça lui permettrait de se concentrer sur le dressage… et sur les quelques travaux indispensables pour remettre le ranch en état. Comme cette fuite, par exemple.

— Bien que ce ne soit pas vraiment mon problème, dit-elle à haute voix, puisque Ocean Haven ne m'appartient plus.

Elle sursauta soudain en ressentant une vive douleur dans le doigt.

— Aïe !

Surprise, elle avisa l'état de ses mains. Depuis quand avait-elle recommencé à se ronger les ongles ? Elle avait arrêté à treize ans quand son grand-père l'avait forcée à porter ce vernis dégoûtant…

Frottant sa blessure d'un air distrait, elle récupéra une couverture et rejoignit le box de Delta. La jument hennit doucement en la voyant.

— Bonjour, ma belle ! Je vois que tu as fini de dîner. On dirait que tu es la seule à avoir de l'appétit.

Ce qui était plutôt étrange, vu qu'elle n'avait rien avalé de la journée.

— Qui a besoin de manger, demanda-t-elle en soupirant, quand on n'a plus aucune raison de vivre ? Non, j'exagère. Je vais bientôt obtenir mon diplôme de vétérinaire et je n'aurai plus jamais à croiser Cruz Rodriguez de toute ma vie.

Il l'avait dit qu'il l'aimait, mais c'était faux. Comment pouvait-on aimer quelqu'un sans le connaître ? Et dire qu'elle avait failli se convaincre qu'elle était amoureuse de lui !

— C'était du désir, rien de plus, affirma-t-elle en posant la couverture sur le dos de l'animal. Ça rend les gens fous, parfois.

Sa gorge se serra soudain, et elle faillit se mettre à pleurer. Non, elle ne devait pas penser à Cruz ou à ce qu'elle était sur le point de perdre. Ocean Haven avait été son foyer, mais il était temps de passer à autre chose. Cet endroit lui manquerait, c'était évident, mais elle n'avait pas le choix. Elle devait aller de l'avant.

— Ton nouveau propriétaire prendra bien soin de toi, assura-t-elle en ravalant ses larmes. Ses chevaux comptent plus que tout pour lui.

— Vraiment ? demanda une voix masculine.

Cruz !

Le cœur battant, Aspen se tourna pour lui faire face. Dieu, qu'il était séduisant dans son costume sombre ! Elle avait presque oublié à quel point il était beau.

— Qu'est-ce que tu fais là ?

— Tu le sais aussi bien que moi.

— Ton avocate ne perd pas de temps.

— Bien sûr que non ! Je la paie assez pour m'en assurer, ajouta-t-il avec morgue. Maintenant, je veux que tu répondes à ma question.

Aspen prit le temps de lisser la couverture de Delta. Elle devait absolument se reprendre avant d'affronter Cruz.

— Je pensais que c'était évident, expliqua-t-elle d'une voix égale. Ocean Haven t'appartient à présent, puisque tu l'as acheté.

— Je t'ai dit que ça n'aurait jamais dû arriver.

— Tu me crois assez stupide pour avaler ça ? railla-t-elle. Ta Barbie personnelle ne ferait rien sans ton accord.

— Ma Barbie personnelle ?

— Nous parlons bien du mannequin qui m'a dit que tu étais sous la douche, n'est-ce pas ?

A ces mots, Cruz sourit.

— Je n'ai jamais couché avec Lauren.

— Ça ne m'intéresse pas, lâcha-t-elle en secouant la tête. Tu veux bien me laisser passer ? J'ai à faire.

— Bien sûr, dit-il, mais il refusa pourtant de bouger. Tu as raison, Lauren suivait mes instructions. Je n'ai pas eu le temps de lui dire que la situation avait changé. Il y a eu un problème avec le serveur internet de la société, et mes e-mails ne sont jamais arrivés.

— De toute façon, ça n'a plus aucune importance, ajouta-t-elle. J'ai décidé de partir.

— Où iras-tu ?

— Je ne sais pas, répondit-elle en haussant les épaules.

— Tu es prête à tout abandonner derrière toi, y compris le fer à cheval de ta mère ?

— Il n'est plus là. Quand je suis revenue la semaine derrière, il avait disparu, poursuivit-elle dans un sanglot. J'ai décidé que c'était un signe.

— Qu'est-ce que tu veux dire ?

Sa voix était aussi douce que le soir où elle lui avait parlé de Chad. C'était insupportable…

— Je me suis accrochée à cet endroit pendant des années. Je croyais que c'était tout ce dont j'avais toujours rêvé, mais je me trompais. J'ai besoin de…

— De quoi ? la coupa-t-il en s'approchant.

— Tu ne peux pas comprendre.

— Donne-moi une chance.

— Non, rétorqua-t-elle en s'écartant. Je refuse de me faire humilier de nouveau.

Cruz lui prit la main, et elle ne put s'empêcher de trembler. Il lui avait tellement manqué ! Mais elle ne pouvait pas, c'était une erreur…

— Je vais terminer mes études et me trouver un stage quelque part… Recommencer de zéro.

— Avec moi ? demanda-t-il en lui prenant le menton.

— Pourquoi, tu as besoin d'un vétérinaire ? s'enquit-elle en se dégageant.

— Tu sais bien que ce n'est pas ce que je voulais dire, répliqua-t-il avant d'ajouter, plus doucement : tu m'as manqué, chérie. Je t'aime…

— Je…

— Tu ne me crois pas ? C'est assez amusant quand on y pense, poursuivit-il avec un sourire sans joie. Il y a une semaine, les rôles étaient inversés.

Le cœur d'Aspen se serra. Ça n'avait rien d'amusant. C'était au contraire horriblement triste.

Cruz glissa les doigts dans ses cheveux, et elle dut se retenir de se jeter dans ses bras. C'était tellement plus facile d'ignorer ses sentiments quand il était à des kilomètres de là.

— Tu as toutes les raisons d'être en colère, Aspen. Je sais que j'ai commis une erreur, mais…

Il s'interrompit comme s'il cherchait ses mots. C'était la première fois qu'il semblait aussi peu sûr de lui.

— Quand ton grand-père m'a chassé, reprit-il après un instant, je me suis promis que je ne dépendrais plus de personne, pour quoi que ce soit. Je croyais que l'argent me permettrait d'obtenir tout ce que je voulais, mais j'avais tort. Je comprends pourquoi tu as refusé que je te donne Ocean Haven. Si c'est vraiment ce que tu veux, nous considérerons que c'est un prêt. Tu pourras me rembourser, conclut-il avec un sourire.

A ces mots, Aspen sentit l'espoir renaître. Peut-être qu'ils pourraient… Non, c'était voué à l'échec. Cruz ne pourrait jamais s'empêcher de prendre des décisions à sa place. Elle ne devait pas s'autoriser à l'aimer. C'était bien trop douloureux.

— Je ne peux pas.

— Je sais que tu as été blessée par ton grand-père,

par ce salaud d'Anderson et par moi. Mais je te promets que si tu me donnes une deuxième chance je ne te ferai plus jamais de mal.

— Tu te trompes, dit-elle en secouant la tête. Tu ne le feras pas exprès, je le sais, mais…

Elle se tut comme les mots qu'elle avait prononcés plus tôt lui revenaient à la mémoire.

Cruz prendrait soin d'elle, c'était évident, et elle l'aimait. Restait à savoir si elle était capable de lui faire confiance. Rien n'était moins sûr…

— Je ne suis pas très douée pour les relations de couple.

— Nous sommes faits l'un pour l'autre, affirma-t-il en plongeant son regard dans le sien. Je suis un cas désespéré ou du moins je l'étais jusqu'à ce que tu entres dans ma vie. Tu as fait de moi un homme meilleur, Aspen. Je sais que tu as peur, mon amour. Tu n'es pas la seule, ajouta-t-il en essuyant ses larmes. Moi aussi, j'étais effrayé, au début.

— Au début ?

Il l'embrassa doucement et sortit une pochette en velours rouge de sa poche.

— La semaine dernière, tu m'as demandé ce que je comptais t'offrir pour ton anniversaire. Sur le moment, je n'ai pas compris pourquoi tu m'avais posé cette question, avoua-t-il avec honnêteté. Puis, j'ai réalisé que je voulais t'imposer ma volonté. J'ai cru que l'argent pouvait tout acheter et tout changer, mais c'est faux. Pendant des années, j'ai repoussé les autres pour éviter de souffrir. J'ai essayé de garder mes distances avec toi, en vain, dit-il en lui caressant la joue. J'ai besoin de toi, Aspen. Tu me complètes. Je ne peux pas vivre sans toi, conclut-il en posant le petit sac dans sa main.

Aspen était perdue. Cruz s'apprêtait à la demander

en mariage, et elle ignorait comment réagir. La bague avait l'air énorme. Elle était sans aucun doute magnifique, mais elle ne pourrait jamais porter un bijou pareil. C'était bien trop voyant. Décidément, Cruz ne la connaissait pas. Non, elle ne pouvait pas accepter… même si elle en avait envie. Même si elle l'aimait plus que tout au monde.

— Ouvre-le, ordonna-t-il comme elle restait silencieuse. Ce n'est pas ce que tu crois.

Elle s'exécuta et ne put retenir un cri de joie en découvrant le minuscule cheval de bois attaché à une lanière en cuir.

— Oh ! Cruz, c'est magnifique ! C'est le même que ceux qui étaient sur la cheminée de ta mère. Je savais bien que c'était toi qui les avais réalisés.

— Il te plaît ? demanda-t-il, l'air incertain.

Il semblait inquiet, comme s'il craignait qu'elle refuse son cadeau, qu'elle le repousse, lui. Car il y avait mis tout son cœur, c'était évident.

— Tu m'aimes vraiment alors ?

— Plus que tout au monde, répondit-il en prenant son visage dans ses mains.

Il l'embrassa, et Aspen se lova contre lui. C'était merveilleux ! Malgré elle, ses larmes se mirent à couler.

— Tu me fais pleurer, se plaignit-elle.

— Je pourrais en dire autant.

Surprise, elle croisa son regard. Il avait les yeux humides. Les battements de son cœur s'accélérèrent aussitôt.

— Quand l'as-tu fait ? s'enquit-elle en caressant tendrement le pendentif.

— Pendant la semaine. Je n'arrivais pas à me concentrer. Mes employés me regardaient comme si j'étais devenu fou, ajouta-t-il avec un sourire. Ça m'a pris pas mal de temps. Ça faisait longtemps que je n'avais pas travaillé le bois.

— Je le chérirai.

— Et je te chérirai. Tourne-toi, ordonna-t-il.

Aspen faillit pleurer quand il noua la lanière dans sa nuque. Elle était tellement heureuse ! Un sourire aux lèvres, elle se tourna vers lui. Il l'observa un instant avant de déclarer :

— Dans certains pays, un bijou comme celui-là signifie que nous sommes unis pour la vie.

— Vraiment ?

— Comme je n'étais pas certain que tu t'en contenterais, j'ai aussi prévu ceci, ajouta-t-il en sortant une boîte de sa poche.

Cette fois, c'était bien une demande en mariage et elle allait l'accepter, quoi qu'il arrive. Peu importait qu'il ait choisi un modèle hors de prix. Il l'aimait, c'est tout ce qui comptait.

Un peu nerveuse, elle souleva le couvercle et écarquilla les yeux. La bague était tout simplement magnifique.

— Ce n'est pas celle que j'aurais choisie, expliqua-t-il en la glissant à son doigt, mais je me suis dit que tu préférais une pierre plus modeste.

Aspen éclata de rire et se jeta dans ses bras.

— Je l'adore !

Cruz sourit et la souleva avant de l'embrasser.

— J'ai déjà prévu de t'offrir des boucles d'oreilles en diamant assorties. Elles sont tellement énormes que tu n'arriveras même pas à marcher.

— Dans ce cas, je les porterai au lit, rétorqua-t-elle d'un air coquin. Cruz, c'est parfait, tu es parfait.

— Est-ce que ça veut dire que tu vas enfin m'avouer que tu m'aimes, parce que je sais que c'est le cas.

— Comment peux-tu en être aussi sûr ?

— Tu as traité Lauren de Barbie.

— Tu crois que j'étais jalouse ?

— Je l'espère en tout cas, dit-il en lui donnant un autre baiser. Dis oui, mon amour, et tu me seras redevable pour le reste de ta vie.

— Tu envisagerais de prêter de l'argent à ta femme et de la laisser te rembourser ?

— Je ferais n'importe quoi pour elle à condition qu'elle me dise qu'elle m'aime et qu'elle n'aimera jamais que moi.

— Oui, je veux devenir ta femme, affirma-t-elle en l'embrassant. Je t'aime et je veux t'être redevable pour le restant de mon existence.

Cruz caressa le petit cheval niché entre ses seins, puis répondit, les yeux dans les siens :

— Je t'aime aussi, mon amour.

## Ne manquez pas, dès le 1er janvier

*UN SERMENT POUR AMBER*, *Lynne Graham* • N°3545

Une demande en mariage ? Tabby est stupéfaite. Si elle a forcé le passage jusqu'au bureau d'Ash Dimitrakos, c'est pour convaincre l'insensible milliardaire de la soutenir dans ses démarches pour adopter Amber, la petite fille orpheline dont tous deux ont été désignés cotuteurs, quelques mois plus tôt. Mais jamais elle n'aurait pensé qu'Ash voudrait s'impliquer davantage, lui qui a, jusqu'à présent, refusé d'assumer ses responsabilités envers la fillette. Si elle se demande ce que peut bien cacher ce brusque changement de comportement, Tabby sait pourtant qu'elle ne peut refuser sa stupéfiante proposition : seule, elle n'obtiendra jamais la garde d'Amber. Mais elle ne devra pas oublier que sous son charme ravageur, son futur épou est un homme froid et sans cœur…

*LA ROSE INDOMPTABLE, Carol Marinelli* • N°3546

En se rendant au gala organisé par Xante Rossi, Karin Wallis voulait simplement voir une dernière fois le bijou hérité de son grand-père, auquel elle tient plus que tout, et que son frère a vendu à son insu au riche – et sublime – collectionneur. Mais restée seule avec le bijou, elle l'a dérobé avant de prendre la fuite. Une impulsion qu'elle regrette amèrement maintenant que Xante se dresse face à elle, furieux. Très vite, Karin comprend pourtant qu'il ne portera pas plainte. Hélas, un diffus sentiment d'angoisse se mêle aussitôt à son soulagement : quelle contrepartie peut bien attendre d'elle cet homme qu'elle devine impitoyable ?

*TROUBLANTS RENDEZ-VOUS*, *Ally Blake* • N°3547

Quand une de ses élèves lui demande de donner des cours de danse à Ryder Fitzgerald, son frère aîné au bras duquel elle souhaite ouvrir le bal pour son mariage, Nadia accepte immédiatement. Ce qu'elle n'imaginait pas, c'est le trouble profond que Ryder provoquerait en elle au premier regard. Passer des heures entières à frôler cet homme, contrôler la position de son corps, danser langoureusement contre lui, voilà qui promet d'être une torture… Car Nadia ne peut se permettre de céder à ce désir brûlant. Les hommes ne lui ont jamais apporté que des déceptions, et aujourd'hui elle doit concentrer toute son énergie sur l'audition qu'elle prépare. Une audition qui lui offrira un nouveau départ, loin de l'Australie où plus rien ne la retient…

*L'AMANT DE BUENOS AIRES*, *Carole Mortimer* • *N°3548*

Buenos Aires… Jamais Beth n'aurait imaginé mettre les pieds dans cette ville si animée et exubérante, elle, la petite Anglaise timide. Mais il y a tant de choses qu'elle n'aurait jamais imaginées… comme découvrir du jour au lendemain que sa vie reposait sur un mensonge : née dans une puissante famille argentine, les Navarro, elle a été enlevée alors qu'elle n'avait que deux ans… Malgré l'affection que lui témoigne sa famille biologique, Beth a le plus grand mal à s'habituer à sa nouvelle identité. Mais tout ça serait encore supportable sans Raphael Cordoba. Raphael, un mètre quatre-vingt-dix de perfection masculine, engagé pour garantir sa sécurité, mais dont la présence – nuit et jour – à ses côtés éveille en elle un trouble brûlant...

*AU JEU DE LA SÉDUCTION*, *Maya Blake* • *N°3549*

« Tu es un égoïste qui ne mérite pas l'air qu'il respire ! » Jamais Raven n'oubliera les mots terribles qu'elle a lancés à la figure de Rafael de Cervantes, l'arrogant play-boy pour lequel elle travaille, juste avant qu'il n'ait l'accident de voiture qui a failli lui coûter la vie. Fou de rage, Rafael a-t-il commis une imprudence au volant ? Etouffée par la culpabilité, Raven n'a qu'une issue : aider Rafael à retrouver sa condition physique. Elle sait qu'aucun autre physiothérapeute ne supportera longtemps ses sarcasmes incessants. Mais elle, elle y parviendra : c'est le prix à payer pour se racheter. Même si cela signifie passer de longues heures en tête-à-tête avec cet homme qui exerce depuis toujours sur elle une envoûtante – et dangereuse – séduction…

*LA TENTATION D'UN MILLIARDAIRE*, *Julia James* • *N°3550*

Partie à un shooting photo à Hawaii ? Rafael Sanguardo n'en revient pas. Quand il a posé les yeux sur Celeste Philips, quelques semaines plus tôt, il a immédiatement su qu'il lui fallait cette femme. Si belle, si douce, si mystérieuse. Et qui ne cesse de le repousser ! Une réaction qu'il n'est pas habitué à provoquer chez les femmes, surtout quand la tension érotique est si forte, si palpable. Et voilà que, pour le fuir, Celeste a accepté du travail à l'autre bout de la planète… Il devrait en être agacé mais, curieusement, son intérêt et son désir n'en sont que plus forts. Alors, si Celeste veut jouer à ce petit jeu, il la rejoindra à Hawaii. Et, dans ce décor de rêve, il s'assurera qu'elle n'ait plus la moindre chance de lui résister…

*A L'ÉPREUVE DU DEVOIR*, *Caitlin Crews* • *N°3551*

Quand son mari, le prince héritier du Khatan, lui annonce qu'il est temps pour lui de monter sur le trône, Kiara sent le sol se dérober sous elle. Bien sûr, après cinq ans de bonheur fou, elle savait que ce jour finirait par arriver… Et très vite, elle a l'impression que sa vie lui échappe. Pire, elle voit Azrin s'éloigner d'elle de jour en jour. Aussi, le jour où l'entourage royal lui fait comprendre qu'elle doit tomber enceinte, c'en est trop. Le cœur brisé, Kiara comprend qu'il est temps pour elle de se poser la question qu'elle a désespérément tenté d'ignorer jusque-là : son mariage avec Azrin est-il assez fort, assez solide, pour surmonter une telle épreuve ?

*UN ODIEUX ULTIMATUM, Jennifer Hayward* • *N°3552*

Quand Riccardo De Campo, celui qui sera bientôt son ex-époux, lui annonce qu'il ne lui accordera le divorce que si elle accepte de jouer au couple amoureux pendant six mois de plus, le temps pour lui de rassurer son conseil d'administration, Lilly refuse net. Découvrir l'infidélité de l'homme auquel elle avait offert son cœur a failli la briser, et si elle veut se reconstruire, elle sait qu'elle doit se tenir aussi loin que possible de Riccardo et de son charme envoûtant. Mais quand il ajoute qu'il lui donnera leur somptueuse maison, Lilly comprend avec angoisse qu'elle n'a plus le choix. Comment refuser, alors que la vente de cette maison lui permettrait de réunir l'importante somme d'argent nécessaire au traitement de sa jeune sœur malade ?.

*LA FIANCÉE DES SABLES, Sharon Kendrick* • *N°3553*

Un baiser brûlant. Voilà la seule chose que Sara a partagée avec Suleiman, l'homme qu'elle aime depuis toujours mais qui lui est à jamais interdit : n'est-il pas le meilleur ami du Sultan de Quhrah, auquel elle est promise depuis l'enfance ? Un destin auquel elle a tenté d'échapper en se réfugiant à Londres. En vain. Car, cinq ans plus tard, c'est bien pour la ramener à Quhrah que Suleiman surgit sur le pas de sa porte. Sara est furieuse : lui plus qu'aucun autre devrait comprendre que ce mariage est impossible ! A moins que son salut ne réside justement dans le désir qu'elle voit toujours briller dans le regard de Suleiman ? S'ils s'abandonnent à la passion qui les consume, il n'osera pas la reconduire auprès du Sultan...

*UNE DÉLICIEUSE VENGEANCE, Jennie Lucas* • *N°3544*

Le prince Kasimir Xendzov. Un homme dangereux, impitoyable... et le seul à pouvoir l'aider. Depuis que sa sœur a été kidnappée sous ses yeux, Josie a tout fait pour tenter de la sauver. En vain. Aujourd'hui, elle joue sa dernière carte. Car si Kasimir est assez riche et redouté pour lui venir en aide, elle possède de son côté ce qu'il désire le plus au monde : la terre ancestrale des Xendzov, vendue des années plus tôt à son père et dont elle a hérité à la mort de ce dernier. Hélas, elle ne pourra disposer de cette terre qu'à son mariage. Alors, pour offrir à Kasimir ce qu'il attend, et le convaincre de sauver sa sœur, Josie sait ce qu'il lui reste à faire : épouser le redoutable – et dangereusement séduisant – prince russe.

Attention, numérotation des livres différente pour le Canada : numéros 1970 à 1977.

Composé et édité par HARLEQUIN

Achevé d'imprimer en novembre 2014

La Flèche
Dépôt légal : décembre 2014

Pour l'éditeur, le principe est d'utiliser des papiers composés de fibres naturelles, renouvelables, recyclables, et fabriquées à partir de bois issus de forêts qui adoptent un système d'aménagement durable. En outre, l'éditeur attend de ses fournisseurs de papier qu'ils s'inscrivent dans une démarche de certification environnementale reconnue.

*Imprimé en France*